LEVEN NA DE DOOD

Marc Van den Bossche

Leven na de dood

DAGBOEK VAN EEN ROUWPROCES

Lemniscaat

© Marc Van den Bossche, 2014
Foto omslag: de top van de Mont Ventoux
Vormgeving omslag en binnenwerk: Marc Suvaal
Nederlandse rechten: Lemniscaat b.v., Rotterdam, 2014
ISBN 978 90 477 0230 6
NUR 320 / 730

Druk- en bindwerk: Wilco, Amersfoort
Dit boek is gedrukt op milieuvriendelijk, chloorvrij gebleekt en verouderingsbestendig papier en geproduceerd in de Benelux waardoor onnodig en milieuverontreinigend transport is vermeden.

In memoriam Hilde Heylen
(3 februari 1961 – 17 juli 2011)

Wie nu alleen is

Doof mijn ogen uit: ik zie je staan,
schroei mijn oren dicht: ik hoor je spreken.
Zelfs zonder voeten kan ik tot je gaan,
zelfs zonder mond nog zal ik om je smeken.
Ja, breek mijn armen af en ik omvat
je met mijn hart als met een hand,
bind mijn hart af en mijn hoofd zal bonzen:
en zet je ooit mijn hersenen in brand,
nog zal mijn hele lichaam van jou gonzen.

Rainer Maria Rilke
Vertaald door Menno Wigman
Uit: *Wie nu alleen is* (1996)

Inhoud

Lieve Hilde,

Vandaag herlas ik met een krop in de keel het manuscript van mijn boek *Sport als levenskunst* dat ik in de afgelopen maanden heb voltooid. Je zult begrijpen dat ik het moeilijk had bij dat hoofdstuk 'Lijden' over mijn deelname aan de duizend kilometer van *Kom op tegen Kanker*. Ik weet nog hoe blij je was toen ik het initiatief had genomen om met een team van onze universiteit aan de start te komen, in mei 2010. Dat had ik mede gedaan als steunbetuiging aan je moeder die zeventien jaar na de eerste keer opnieuw met kanker werd geconfronteerd. Gisteren hebben we vernomen dat jij nu ook het slachtoffer bent van die vreselijke ziekte. Misschien was mijn uitspraak dat ik volgend jaar op mijn eentje die duizend kilometer ga fietsen, voor jou, een beetje impulsief. Je kent me wel. Maar de glimlach die ik zag bij jou, drukte toch ook blijheid uit, niet? Dat je dit als steun ervaart, sterkt me in mijn voornemen: ik wil die uitdaging aangaan. Zoals jij nu een uitdaging aangaat, ook al heb je de keuze niet. Dat ik alsmaar pleit voor sporten zonder doel, vraagt misschien voortaan om enige nuancering en bijschaving. Jij bent nu mijn doel.

Weet je nog hoe we afgelopen zomer onze wandelweek in het Bulgaarse Rodope-gebergte beëindigden met die loodzware tocht van Liaskovo naar de zogeheten Mirakelbruggen? 'Echt teamwork' noemde jij dat. Ruim zes uur samen zoeken naar het volgende groene pijltje, kompas lezen, over bomen heen klauteren of er onderdoor, onze broodjes 's middags beschermen tegen hordes opdringerige en bijtgrage insecten, overwoekerde wandelpaden, helemaal geen wandelpaden... En dat alles bij een temperatuur van boven de dertig graden en bijna duizend meter te overwinnen hoogteverschil. We wisten niet dat je al ziek was op dat moment. Je deed dus mee *hors catégorie*.

En dan 's avonds het gemijmer op dat terras in het van God en iedereen verlaten bergdorpje Kosovo, naar verluidt ooit gesticht door uitwijkelingen van de veel bekendere naamgenoot. We zijn al vaak samen geweest in de voorbije acht jaar. Die dag waren we Samen. Met een immense hoofdletter.

Zullen we nu aan deze nieuwe uitdaging gaan beginnen, lieverd? Ik zal je rugzak dragen om je onder die boom door te kunnen laten kruipen. Je zult de vreugde in mijn stem horen als ik roep: 'Hilde, groen!' Of misschien zal een soortgelijke uitroep nu van jou komen. Minder nog dan in de Rodope-bergen ligt onze weg nu vast. Het zoeken zal moeilijker en wellicht pijnlijker zijn. Maar we gaan aankomen op een plek waar we mijmerend zullen terugkijken op het afgelegde parcours. Samen.

De sereniteit waarmee je op het droeve nieuws hebt gereageerd, bewonder ik. Ik weet niet of ik het zelf zou kunnen. Zoveel heb je mij geleerd de voorbije jaren. Wellicht zonder dat je het wist. Ik heb je levenslessen opgezogen. Stilzwijgend en ongedwongen. Jij hebt mij de traagheid geleerd die ook uit dit boek moet spreken. Bij jou heb ik die zin voor kwaliteit opnieuw kunnen aanscherpen. En voor soberheid, geduld en luisterbereidheid. In jouw leven staat het zoeken naar de juiste maat voorop. *Phronèsis* is de naam van je eenvrouwsbedrijf. *Phronèsis* tekent je leven. *Phronèsis*: oog en oor hebben voor wat gepast is, voor wat hier en nu juist is, maar misschien niet morgen en elders. *Phronèsis*, het trefwoord van de levenskunst.

Levenskunst, lieverd, jij belichaamt die.

Ik benoem je hierbij dan ook tot Doctor in de Levenskunst. Doctor Honoris Causa.

Marc

Leven na de dood

Vorige week ben ik er nog eens heen gefietst. Me op voorhand bewust van het mogelijk pijnlijke effect ervan, wou ik toch opnieuw dat beeld zien: de plek waar de as van mijn geliefde echtgenote twee maand eerder werd uitgestrooid. Een ceremoniemeester veegde een laagje as van zijn linkerschoen. 's Avonds regende het. Bij mijn bezoek vorige week was net het gras gemaaid. De zeis blijft haar werk doen.

Een gedenksteen wou Hilde niet. Ruimte opeisen vond ze maar niks, ook al niet tijdens haar leven. En dat mensen zouden komen rouwen op een daartoe bestemde plek, laat staan op het commando van geïnstitutionaliseerde rouwdagen, leek haar te artificieel.

Als ik iets voor jou kon betekenen
hoef je niet te rouwen.
Je kan me in gedachten
meenemen zoals ik was.

Woorden die zij in het voorjaar zelf had opgeschreven, bestemd voor het rouwkaartje. Een rouwkaartje dat vroeg niet te rouwen.

Al weken zocht ik naar woorden die konden uitdrukken wat ik die dag had ervaren: een geliefde die er niet

15

meer is, die nergens meer is, niet tastbaar, niet voelbaar. Je stelt een vraag en de stilte krijgt een klank van pijn en gemis. Wat doe je met die ervaring als je op generlei wijze voeling hebt met een of andere goddelijke of transcendente instantie en ervan overtuigd bent dat de mens enkel materie is? In mijn werkzaamheden als filosoof verdedig ik al langer de stelling dat het lichaam onze primaire bron van zin- en betekenisgeving is. Spiritualiteit had altijd iets wazigs voor mij. Doorgaans werd of wordt dat spirituele in verband gebracht met louter geestelijke toestanden of met iets als de ziel. En dat kreeg dan vervolgens een immateriële, bovennatuurlijke, d.w.z. nietlichamelijke invulling.

Zo'n visie op spiritualiteit loopt naar mijn gevoel even mank als een groot deel van de traditie van het westerse denken. Die gaat niet zelden uit van een scheiding van lichaam en geest en vult de verhouding tussen die twee op verticale wijze in: de geest domineert het spektakel van onze existentie. Lichamelijkheid, emoties, al het ongetemde en ontembare in de mens, daar hebben filosofen het wel eens moeilijk mee. Zij niet alleen.

Wie lijfelijkheid zegt, denkt daar eindigheid bij. En beperktheid. De beperking bijvoorbeeld tot een aards en lichamelijk verankerd-zijn. We kunnen ons geen stapje hoger tillen, tastend naar zin- of troostgevers die ergens boven ons zweven. Alle respect daarvoor, maar mij lukt dat niet. En toch. Kritiek vanuit die hoek op een geborneerd soort humanisme, dat iedere spiritualiteit ontkent, leen ik toch ook een gewillig oor. Natuurlijk is er meer dan enkel de mens. Uiteraard kan je niet alleen maar uitgaan van het eigen ego. Een ik op zich stelt niets voor. Ik denk en ben en voel met anderen. Jezelf vormen betekent in dialoog zijn. Als we het dan toch willen hebben over transcendentie, dan niet richting verdieping nummer zoveel hoger, maar hier, in die gedeelde ruimte van zin en betekenis, van liefde en genot en pijn en verdriet. Spiritualiteit kan zo op horizontale wijze vorm krijgen, vertrekkend vanuit die lijfelijkheid in de richting van de ander.

Een door mijn collega Gily Coene samengesteld boek noemde dat *De kunst buiten het zelf te treden.* Ik pleitte er in mijn bijdrage voor een horizontale transcendentie, vanuit de eigen lijfelijkheid. Het opgaan in de natuur, zien dat ons lijf zelf natuur is en deel uitmaakt van iets veel groters. Opgaan in de ander. In de liefde, uitgaand van gelijkwaardigheid en wederzijdsheid, kijkt dat 'ik' verder dan zichzelf. Het laat er alle zelfgenoegzaamheid los, staat open voor dialoog, laat zich beroeren door het anders-zijn van die ander. En wordt zo telkens weer een nieuw ik. Of een stapje verder: de erotische roes die je ik doet versmelten met het andere ik.

Wat er aan seksueel verlangen in ons leeft, is uitdrukking van onze hele manier van in-de-wereld-zijn. Dat verlangen is metafysisch, in de zin van: meer dan enkel natuur, en spiritueel. We blijven aan onze natuur gebonden, maar we kunnen ons er toch vrij toe verhouden. We zijn meer dan enkel een lichaam.

Maar het lichaam blijft het eerste. Het lichaam maakt het spirituele mogelijk, net dankzij die horizontale transcendentie en hoe het ik daar lichamelijk en bijgevolg ook spiritueel versmelt met de ander. De dood van mijn geliefde, de radicale afwezigheid van haar lijfelijk zijn, verandert niets aan mijn kijk hierop. Best mogelijk dat andere vormen van spiritualiteit de pijn kunnen verzachten en enige troost bieden. Maar illusies roep je niet naar believen op. Wat dan te doen? Hoe vind ik een antwoord op de wroetende vragen die mij vorige week nog gekluisterd hielden aan dat bankje bij de asweide? Als de mens enkel materie is, wat blijft er dan na de dood? Ik zat er op dat bankje te grienen omwille van een dialoog die plots leek gestokt.

Achteraf gezien: ik had het antwoord al gegeven in de tekst die ik voorgelezen had op de begrafenisceremonie. Ik vond het niet bij een filosoof, maar bij Rainer Maria Rilke in zijn *Brieven aan een jonge dichter* en in enkele gedichten van hem. Raker dan wat ik ooit bij een filosoof of bij een spiritueel gestemd auteur heb verwoord gezien, formuleert de dichter weerwerk dat, in al zijn kwetsbaarheid en in het toelaten van het onbeantwoordbare, zoete balsem aanreikt.

De dingen zijn niet allemaal zo makkelijk te begrijpen als men ons meestal wil doen geloven, zegt Rilke. De meeste gebeurtenissen zijn niet te verwoorden, ze voltrekken zich in een ruimte die nog nooit door een woord is betreden. Ik leer bij dat er geen sluitende antwoorden te vinden zijn op mijn wroetende vragen. Die vragen mogen rijpen in het duister, in het onverwoordbare, onbewuste, voor het eigen verstand onbereikbare. Zo begrijp ik Rilke. En dat we vol deemoed en geduld het geboorte-uur moeten afwachten van een nieuwe helderheid. Die komt er als je leert leven met de vragen. In geduld en deemoed en aandacht voor het kleine. Kunstenaar zijn betekent voor Rilke niet: rekenen en tellen en naar definitieve antwoorden zoeken. Wel: rijpen als de boom die zijn sappen opstuwt en die rustig in de voorjaarsstormen staat, zonder bang te zijn dat er geen zomer zal volgen. De zomer komt toch, schrijft hij, maar alleen voor hen die geduld hebben en leven alsof de eeuwigheid voor hen ligt, zo onbezorgd stil en ver. 'Geduld is alles', zegt Rilke nog.

Verdriet verschijnt in een moment van opperste spanning. Verdriet haalt ons weg van wie we tot dan toe geweest zijn. We voelen ons verlamd en alleen. Mijn zoeken naar gepaste woorden en mijn onvermogen die te vinden, moet te maken hebben met wat Rilke omschrijft als het vreemde dat in ons is binnengegaan. Alles wat ons vertrouwd en eigen was, lijkt ons ontnomen. Ik voel me aangesproken als hij zegt dat we ons dan midden in een overgang bevinden waar we niet kunnen blijven staan. Hilde vroeg in haar afscheidstekstje niet te blijven staan. Haar meenemen betekent op weg blijven. Ook met vragen die niet te beantwoorden vallen. Rilke:

Wanneer men de vragen leeft, leeft men misschien geleidelijk, zonder het te merken, op een ongewone dag binnen het antwoord.

In de bundel *Wie nu alleen is* staat een gedicht waarin Rilke een radicale afwezigheid schetst, en dat eindigt met de regel:

nog zal mijn hele lichaam van jou gonzen.

Ik ben niet alleen. Ik ben met twee. Ik noem dat spiritualiteit. Mijn lichaam gonst ervan.

Leve de traagheid

Als ik u zou vragen wat het langste duurt, zestig minuten of een uur, dan keek u mij wellicht lichtjes bezorgd aan. Stel dat ik nu mijn vraag herformuleer: wat duurt het langst, een uur in de file staan of een uur wandelen? Ik kan mij voorstellen dat uw diepe frons dan plaatsmaakt voor een opgeruimde glimlach en wellicht ook een blik van herkenning. Iedereen weet dat wandeltijd minder lang duurt dan filetijd. Ik snap dan ook niet goed de reacties op mijn mededeling dat ik de voorbije tijd meestal van het station Brussel Centraal naar onze universiteit wandel. 'Zo ver? En hoe lang duurt dat wel niet?' Wel: iets minder dan een uur. Ik schrok daar zelf van toen ik het eens gemeten had. Mijn gevoel had altijd al iets ingegeven van 'misschien hooguit een half uurtje'. Dat zouden filerijders nooit zeggen. Denk ik.

Wielrenners of wielertoeristen plegen nogal eens een boompje op te zetten over hun manier van overwinteren. Sommigen gaan joggen, anderen mountainbiken, de *diehards* doen gewoon voort en zij die niet vooruit kijken, beginnen vetrolletjes te kweken. Ik heb mij deze winter omgeschoold tot wandelaar. In sportmagazines die een verhaal kwijt willen over de verschillende overwintermogelijkheden komt – tot mijn verbazing – wandelen zelden of nooit voor in het lijstje met alternatieven.

Daar vallen wellicht wel redenen voor te bedenken. Gemeten aan het aantal hartslagen per minuut scoort wandelen natuurlijk wel erg laag. Zou het dan enig effect kunnen hebben? Maar ook: misschien is het niet sexy genoeg. Of verder (dat is de achterdochtige jongen in mij): de sportindustrie verdient er niet veel aan. Ik ken geen enkele wandelvedette. Strakke pakjes en blitse schoenen zijn aan wandelaars niet besteed. En hebt u ooit al iets vernomen over wereld- of andersoortige records voor wandelaars? Ik ook niet.

Laat dat nu allemaal genoeg redenen vormen voor mij om mij toch maar om te scholen tot zo'n onsexy, nonchalant, niet-recordjagend wezen. Het heeft haast iets subversiefs. Misschien voel ik mij hier ook wel bij uitstek aangesproken als filosoof. Al van bij de oude Grieken was wandelen de 'sport' *par excéllence* van filosofen. Aristoteles en zijn leerlingen, de peripatetici, filosofeerden al wandelend. Friedrich Nietzsche schreef een ruime eeuw geleden:

Alleen wat onder 't lopen is gedacht, heeft waarde.

Nietzsche dacht dan niet aan joggen. Mooi is ook de verklaring van een Australische Aboriginal voor de *walkabout*, een overgangsritueel waarbij jongeren een dag de wildernis worden ingestuurd:

Te vaak neem je beslissingen in dit leven waar je maar gedeeltelijk achter staat. En ook in de beslissingen die hieruit volgen, kun je jezelf maar gedeeltelijk vinden. Hieruit volgen dan weer andere beslissingen waar je jezelf ook niet meer in kunt vinden. Totdat je op een dag wakker wordt en jezelf helemaal niet meer kunt vinden. Dan pak je de spullen die belangrijk zijn en je gaat op weg. Totdat je jezelf weer tegenkomt. En dan spreek je jezelf eens streng toe.

Wandelen is zo te zien haast een synoniem voor zich bezinnen. Dat maakt er ook binnen de sportwereld een min of meer subversieve onderneming van. Het leidmotief van nogal wat sporttakken is immers dat diegene die de minste tijd nodig heeft gehad, meteen ook de winnaar is. Wandelaars kijken zelden op hun horloge. Laat staan dat ze ergens als eerste willen binnenkomen.

Misschien zit ik hier maar wat te morren. Misschien moet ik gewoon maar oprecht zijn. De voorbije maanden kan ik mij maar heel moeilijk motiveren om te trainen in de naar prestatiedoelen verwijzende zin van het woord. Wandelen was begonnen als een noodzakelijk alternatief voor fietsen of joggen. Daar had ik nog maar nauwelijks de tijd voor tussen vele ziekenhuisbezoeken door. Het traject van Brussel Centraal naar de Vrije Universiteit Brussel leek me dan dat gedwongen hiaat mooi op te vullen. Heen en terug maakt dat al snel honderd tot honderdtwintig minuten stappen. Dat is toch niet niks, vond en vind ik. Maar het wandelen kreeg mij in de ban. Dat kwam mede doordat de gedachte mij overviel die ik in de eerste zin van dit stukje heb geformuleerd. Wandelen geeft een andere tijdservaring.

Misschien heeft mijn Nederlandse collega Paul van Tongeren gelijk als hij schrijft dat wandelen past bij het tempo van het denken. Hij zegt dat in zijn boekje *Over het verstrijken van de tijd*. Niet toevallig eindigt hij met een hoofdstuk over zijn ervaringen als wandelaar:

Wie een dag lang wandelt, begroet de frisse ochtend om een flinke klim te maken; hij weet rond het middaguur dat alle dingen nog net in hun eigen schaduw passen, dat hij onder een boom de grootste hitte kan afwachten; en hoe rijk en diep het genot van een mooie wandeling ook moge zijn, aan het eind van de dag is de wandelaar blij dat hij de benen kan strekken en dat de dag erop zit. Dagen duren zelden te kort of te lang voor een wandelaar. De tijd van het wandelen past bij de tijd van de mens.

Ben ik een cultuurpessimist als ik vermoed dat wij dat soort tijd uit het oog zijn verloren in onze hedendaagse samenleving?

Er blijft natuurlijk ook die hoogstpersoonlijke dimensie voor mij. Een maand voordat we het nieuws over haar ongeneeslijke ziekte kregen, wandelde ik met Hilde nog een week door het Rodope-gebergte in Bulgarije. De laatste dag was er loodzwaar. U mag mij nu als een melancholisch klinkende zeurpiet beschouwen, maar die ervaring toen, die zes uur durende inspanning op steile hellingen, het klauteren over en onder omgevallen bomen, het gevecht tegen de hordes muggen, de bijna ondraagbare hitte en de loutering in een door nagenoeg de hele bevolking verlaten bergdorpje 's avonds, dat blijft voor mij een van de mooiste, meest beklijvende ervaringen in mijn relationele leven ooit. Ik blijf die wandeling maken.

Ook vermoed ik dat mijn liefde voor het wandelen te maken heeft met Hilde's ziekte, die ons beiden meer dan ooit heeft gewezen op de eindige dimensie van het menszijn. Dat ik daarom traag wil gaan. Dat we nog veel tijd krijgen voor dat Samen. Dé factor die betekenis geeft aan alles wat we ondernemen, is toch de tijd. Dat komt doordat wij eindige wezens zijn. Maar ook doordat tijdservaring het perspectief is waarin alles wat we ondernemen geplaatst wordt. Het ervaren van tijd heeft vaak uitstaans met het ervaren van kwaliteit.

Wellicht is dat ook wat Paul van Tongeren bedoelt als hij schrijft dat de wandelaar de dingen in het voorbijgaan ziet en daardoor langer en beter ziet dan wie ook. Wandeltijd is kijktijd. Wandeltijd is leef-tijd. Leve de traagheid.

Tweewielers aller landen!

Ik ga het land een dienst bewijzen. De kerstperiode leent er zich voor, vind ik. Ministers en andersoortig bewindsvolk doe ik hierbij het genoegen hun een goed voornemen te bezorgen. Het zal hen niet met een kater achterlaten en bovendien menig burger van dat kopkriebelende onding bevrijden. Ook zal ik taal- en andere grenzen overbruggen. In een en dezelfde beweging haal ik de loodzware lasten van de gezondheidszorg naar beneden. Werkgevers zullen mij spontaan in de armen sluiten wanneer al spoedig blijkt dat de bij hen loontrekkende dames en heren op tijd komen. Straffer nog: ze komen met een glimlach op tijd.

Met dit alles voeg ik mij bij de illustere schare filosofen die na noeste denkarbeid in besloten werkkamers een utopische blauwdruk voor het maatschappelijke reilen en zeilen ontvouwden. Ze zijn daar nagenoeg altijd in mislukt. Lukte het hun toch, dan had dit rampzalige gevolgen: terreur, uitsluiting, discriminatie van wie een ander kleurtje had dan uniform voorgeschreven.

Mijn utopie moet dit desastreuze effect omzeilen. Laten we er met een bocht omheen fietsen.

Inspiratie vind ik in het boekje *Éloge de la bicyclette* van de Franse antropoloog Marc Augé. Zijn geschrift vormt een mix van politieke, sociologische en filosofisch essayistiek. De slotzin luidt:

Le cyclisme est un humanisme.

Bij deze gevleugelde woorden (de overtreffende trap van Sartre's uitspraak 'L'existentialisme est un humanisme') denkt Augé niet aan Vincenzo Nibali of Alberto Contador, maar aan u en mij. Aan hoe wij allen samen onze wereld leefbaarder kunnen maken. Mijn utopie wil om die reden dan ook af van wat Augé in een ander boek van hem de *non-lieux* noemt, de non-plaatsen. Dat is de term die hij heeft bedacht voor omgevingen zoals snelwegen, vliegvelden of fors uit de commerciële kluiten gewassen supermarkten, waar vooral uniformiteit heerst en zich alles behalve een sociale band met anderen laat voelen. Vluchtigheid is er het door allen aanvaarde, door niemand bevraagde dictaat. Voor Augé leven we in een periode die hij als de supermoderniteit bestempelt. In dat tijdperk neemt de hoeveelheid non-plaatsen schrikbarend toe. Uiteraard heeft dit zo zijn implicaties voor onze samenleving. Non-plaatsen maken nu eenmaal veel menselijke interactie overbodig. We worden eenzaam midden in alle drukte.

Dat ga ik dus oplossen. Ik doe dat als voor de rest overigens bescheiden filosoof. Ik onderscheid mij echter van mijn utopie-producerende voorgangers door het merkwaardige fenomeen dat mijn werkkamer een oppervlakte omvat van – naar ik schat – ongeveer 7500 m^2.

Dat is de biotoop die ik al fietsend bestrijk, met het eigen huis als vertrek- en aankomstplek. Zo leert een mens zijn wereld kennen. Al wandelend trouwens ook.

Hoe gaan we dat nu voor elkaar krijgen? Ik zie geen andere mogelijkheid dan een heuse revolutie. Dat is nog eens lang geleden! Laten we in het klein beginnen en eerst Brussel aanpakken. Eén van mijn frequente tussenstops is mijn bureau op de Vrije Universiteit aldaar. Maar Brussel lijkt fietsers te haten. Ik voel mij er uitgesloten. Beetje marginaal zelfs. Pedalerend in de marge van het Echte Verkeer. Een initiatief als *Villo!* vind ik getuigen van een zaligdoende, creatieve en zachtjes-de-wereldverbeterende ingesteldheid. Op diverse plekken in de stad kan je (tegen betaling) een fiets uit de rekken plukken en die elders in gelijkaardige rekken achterlaten. Prachtig. Maar verandert dat iets aan de fietsbaarheid (d.w.z. de aaibaarheid met twee wielen) van de stad? Nee, daar valt geen decorverandering te bespeuren.

Kijk dan eens naar de Deense hoofdstad Kopenhagen. Daar krijgen fietsers hun eigen snelweg. Liefst 36.000 fietsers maken nu elke dag gebruik van de zogeheten Noerrebrogade. Tijdens de spits levert dat wel eens een fietsfileprobleem op. De aanleg van nieuwe stroken aan weerszijden van de populaire weg moet dat gaan verhelpen. Het traject zal vijftien kilometer lang zijn, de weg vier meter breed. Leuk: er wordt zelfs in 'pitstops' voorzien waar pechvogels hun banden kunnen oppompen of kleine reparaties uitvoeren. In 2012 volgt de aanleg van een tweede stuk snelweg, van twintig kilometer lang. Politici in de Deense hoofdstad hopen met die plannen ook meer mensen aan te zetten de wagen thuis te laten. Op dit moment gaat al 37 procent van de bewoners van de buitenwijken met de fiets naar het centrum. Over vijf jaar moet dat aantal vijftig procent bedragen. Zouden we Brussel zo eens kunnen bekijken? Ik vrees ervoor. Begin december 2010 las ik in *Knack* nog een dossier over de minder goeie groene prestaties van Vlaanderen en over plannen voor de aanpak van de mobiliteitsproblematiek alhier. Het weekblad voerde een Vlaams parlementslid, Irina De Knop, op die het probleem van Brussel als dé filehoofdstad van Europa wil aanpakken. Nergens anders doen de pendelaars – 350.000 in aantal – er langer over om op hun werk te raken. Vorig jaar had deze politica ook al eens een resolutie ingediend over het mobiliteitsvraagstuk in Brussel en Vlaams-Brabant. Maar terwijl ze zich vorig jaar nog beperkte tot het bepleiten van een goed gekozen verbreding van de Brusselse ring, wil mevrouw De Knop het nu op een andere manier breed zien. Citaat uit *Knack*:

Ik heb veel geleerd uit de manier waarop mijn eerdere resolutie is behandeld. Vooral dan dat voorstellen die alleen rond de auto draaien, zoals de verbreding van de ring, gedoemd zijn om te verzanden in het traditionele debat tussen de Lijst Dedeckers* van deze wereld, die desnoods dubbeldekssnelwegen willen bouwen, en de linkerzijde die alle heil verwacht van het openbaar vervoer. Daarom bepleiten we nu drie zaken: dat men oog heeft voor de mogelijkheden die de combinatie van auto en openbaar vervoer biedt, dat het Vlaams Gewest gaat samenwerken met het Brussels Hoofdstedelijk Gewest én dat er duidelijke algemene doelstellingen komen. Kortom, we willen een masterplan voor Brussel, gedragen door alle betrokkenen.

Alle betrokkenen? En de fietsers dan? Waar passen die in het plan dat zogezegd 'multimodaliteit' als sleutelelement hanteert? Dat betekent blijkbaar niet alleen dat je moet investeren in het openbaar vervoer en in de wegen, maar ook dat je oog moet hebben voor de aansluiting van het een op het ander. Het wondermiddel zou daar heten: meer parkeerplaatsen bij de stations in de gemeenten rond Brussel. Zou kunnen dat dit helpt. Zoals doekjes voor het bloeden helpen.

Geef mij dan maar de utopie van Marc Augé. Parijs zou hij enkel nog toegankelijk willen maken voor openbaar vervoer. Autobezitters parkeren hun vierwieler in garages aan de rand van de stad. Welkom in de marge. De rijstroken zijn er deels voor autobussen, maar gro-

---

* De Lijst Dedecker is een inmiddels nagenoeg van de kaart verdwenen partij die werd opgericht door Jean-Marie Dedecker, voormalig coach van het Belgische judoteam en qua politieke kleur ultraliberaal. De man was onder meer voorstander van het afschaffen van snelheidsbeperkingen op autosnelwegen tijdens de nacht.

tendeels voor fietsers. Die ontdekken hun stad opnieuw. Ze ontdekken elkaar opnieuw. Laten we de Parijzenaren voor één keer te snel af zijn en Brussel omtoveren tot de stad van het flaneren op twee wielen. Of drie voor de fietstaxi's.

Werkplaatsen duiken op in elk stadsdeel. Creatievelingen winnen prijzen met de meest uitbundige fiets. De *décapotable* met pedalen overwint herfst, winter, maartse buien en aprilse grillen. De zon maakt hij in de rest van het jaar nog een paar graden genietbaarder. Weg verzuring. Weg taalbarrières. We spreken één taal, die van de fiets. De Kopenhagen-norm zal ons doel worden. Vijftig procent van 350.000 is 175.000. En dan allen samen beginnen belrinkelen.

Ik mag toch eens dromen in deze kerstperiode? U begrijpt: het was een droom die ik met Hilde deelde. Onze Discovery-droom.

Discovery-droom

Een wat ineengezakte vrachtwagenchauffeur monsterde mij met een blik die het midden hield tussen achterdocht en nieuwsgierigheid. In het ongetwijfeld rijk geladen innerlijke beeldarchief dat hij had opgebouwd als asfaltvreter, was wellicht nog geen materiaal beschikbaar over een specimen als deze jongen die dag. Compleet uitgewoond, frunnikend aan een weerbarstig zeemvel tussen de benen, nerveus en schichtig om me heen kijkend. Die twee halve liters cola uit de automaat liet ik in *no time* klokkend naar binnen gaan. Nog zeker een uur had ik te gaan. Het achtste uur op twee wielen die dag. Van suikers en bidondrank had ik al twee uur eerder de laatste restjes opgesoupeerd.

Die morgen had ik het meteen geweten: het zou een rusteloze dag worden. De trein van acht uur? Die van negen uur? Hoe laat ben ik dan thuis? Kan ik dan nog gaan sporten? Heb ik nog tijd om te werken? Neen, niets van dat alles. De zon scheen lekker. Fietsen zou het worden. Mijn laptop kon meteen een route uitstippelen via de zogeheten fietsknooppunten. Als die maar rust boden. Ik wou ontsnappen. P.F. Thomése heeft daar in een voorwoord bij Jan Siebelinks *Pijn is genot* treffende woorden voor neergeschreven.

Er is in deze schrijver een grondig verlangen om uit
het peloton weg te komen, de herenkappers en groen-
teboeren stuk te rijden en er majesteitelijk vandoor te
gaan over wegen die niemand kent, want als er een
verlossing bestaat, is het zeker dat die op eigen
houtje gevonden moet worden, daar waar men alleen
nog zijn eigen ademhaling hoort en geruisloos wordt
weggewist in het onontkoombare landschap.

Op eigen houtje, zeg dat wel, maar ik was toch niet alleen die dag. Met opzet had ik van mijn drie fietsen de
zware trekkingfiets uitgekozen. Die had ik eerder van
Hilde gekregen. Een wit-zwarte *Oxford Discovery*. Bestaat
er een betere fietsnaam voor een academicus? Zij heeft
dezelfde. Regelmatig ontsnappen we samen op onze
Discoveries.
Die dag was Hilde er ook bij, zij het niet fysiek. Ik wou
iets doen voor haar. Een daad stellen die zowel iets ver-
telde over betrokkenheid als over de wil om mee te leven,
mee te lijden zelfs. Een week eerder was bij haar een zeldzame en agressieve vorm van borstkanker vastgesteld.
De uitzaaiingen maakten het verdict nog wat moeilijker
te verkroppen dan het al was. Genezen zou ze niet meer.
Voortaan had zij een gevecht tegen haar ziekte te leveren,
een gevecht dat door Lance Armstrong als betekenisvol-
ler werd beschouwd dan zijn overwinningen in de Tour.
Daarom had ik voor de *Discovery* gekozen die dag.
Symbool voor mijn bereidheid om mee te vechten. Ik
zou er de scans mee gaan ophalen die eerder gemaakt

waren in een universitair ziekenhuis. In al mijn nerveuze haast was ik vergeten na te kijken hoeveel kilometers fietslabeur dat knooppuntennetwerk dan wel zou opleveren. Vandaar die uitgewoonde en schichtige trekkingfietser aan een drankautomaat waar doorgaans alleen maar automobilisten zich kwamen laven.

Iedereen stelt me de vraag: 'Hoe heeft de ziekte je veranderd?' Maar de vraag waar het om gaat, is hoe die me niet heeft veranderd.

Woorden van Lance Armstrong. Ik heb niet het recht om die woorden op mijzelf te betrekken. Tenslotte ben ik niet ziek. Maar misschien is ziek zijn ook *teamwork?* Dat was de term die Hilde gebruikte voor wat we samen hadden 'gepresteerd' tijdens die zware bergwandeling in Bulgarije, kort daarvoor. Jazeker, ik zou ook de dingen anders gaan zien. Ook ik zou veranderen. Onze levens zijn in elkaar verstrengeld na acht jaar van veel lief en nog maar weinig leed. Met het hare wordt mijn leven nu een weg op gestuurd die lang onvoorspelbaar zal blijven. Grillig, soms hard.

Wat moet ik nu met mijn boek over 'sport als levenskunst' beginnen? Hoofdstuk na hoofdstuk heb ik gepleit voor een stevige lichaamscultuur. Gezondheid, welzijn, ja zelfs roes en extase vormen de rode draad doorheen alles wat ik schrijf als sportende filosoof. Dan sta je daar plots. Zelfcreatie? Je leven vorm geven? De existentie als ontwerp? Soms – misschien veel vaker dan we willen –

worden we gecreëerd door het leven. Dan worden we geworpen, krijgen we vorm. Terwijl we trachten ons leven zelf betekenis te geven, krijgt dat leven ook betekenis opgelegd. Betekenissen hechten zich aan ons. Ongevraagd. Ongenood. Mijn aanvankelijke sprakeloosheid kan ik enkel al stotterend te boven komen.

Inmiddels zijn we meer dan een maand verder. De behandeling is gestart. Genezen kan dus niet meer. Levenskwaliteit zal primeren op levenskwantiteit. Kwali-tijd. Begin september 2010 is Hilde nog naar Kroatië vertrokken. Ze wil er een project opstarten rond onder meer stressmanagement. Muziek, dans, kunst en dialoog zullen er de ingrediënten vormen. 'Iedereen lijkt meer te lijden onder mijn ziekte dan ikzelf', heeft ze nog gezegd. De toekomst omarmen. De tijd gretig nemen. 'Ze zijn hier van mij nog niet af, hoor!'

Als ik nu nog sprakeloos word, dan is het omwille van die immense positieve kracht die Hilde uitstraalt. Het leven kan ons dan wel ongevraagd iets toewerpen, maar wat je daarmee aanvangt, dat is van tel.

Dip

Ik zou die duizend kilometer van *Kom op tegen Kanker* begin juni 2011 wel op mijn eentje fietsen. Dacht ik. Vier ritten voor Hilde. Een eerbetoon. Hoop. De weg die we samen zouden gaan. Genezen kon niet. Die weg liep hoe dan ook dood. We hadden het vaak over dat beeld dat de door een ongeval verlamde triatleet Marc Herremans eens gebruikte in een interview dat ik met hem had: spelen met de kaarten die je in handen krijgt. Die kaarten waren slecht. Maar we zouden spelen, geleid door sprankels hoop en zo veel liefde. Mijn duizend kilometer zou dat symboliseren.

Vandaag, ruim vier weken voor wat de strafste sportieve stoot uit mijn leven had moeten worden, bekijk ik mijn trainingslog van de voorbije week. Eén keer heb ik sportschoenen aangetrokken: 56.27 W/R staat er te lezen. De W staat voor Walk, de R voor Run. Als er een W bij staat, betekent dit dat ik niet de hele tijd tot R in staat was. Het idee van die 1000 km op mijn eentje had ik al opgegeven. Een rit van 250 km zou me wel lukken. Dacht ik. Inmiddels heeft een collega van de Vrije Universiteit Brussel al beloofd die laatste rit van mij over te nemen. In mijn agenda staat op 5 juni genoteerd dat ik naar de aankomst wil gaan kijken in Mechelen.

Hilde vindt het niet erg. Ik heb zelfs de indruk van het tegendeel. Ze lijkt bang dat ik toch ga deelnemen ondanks mijn lamentabele conditie. En ze vindt dat ik al zo veel heb gedaan voor haar.

We wisten van bij het begin dat er enkel nog over palliatieve zorg zou worden gesproken. Curatieve zorg, gericht op genezen, staat in andermans woordenboek. De eerste reeks chemokuren bleek echter wonderbaarlijk snel en efficiënt te werken. Misschien mochten we toch een periode van enige stabiliteit verwachten? We wandelden al eens samen. Twintig minuten. Zij met wandelstok en gesteund door een op maat gemaakt korsetje, omdat haar rug door de ziekte was aangetast. Ik naast haar. Fier. Gelukkig. Ontroerd. Samen. Altijd met die hoofdletter: Samen.

Dan was er de veel te snelle terugval. Neus op de feiten. Tweede reeks chemo. Stap achteruit. 'Wat is de zin van dit alles?' vroeg ze me gisteren. Ik kon alleen maar iets mompelen over andere kaarten en een ander spel. De voorbije week waren we met afscheid bezig. Zaterdag bovendien weer een spoedopname. Een doorwaakte nacht stak stokken in mijn schrijverswielen. Geen letter kreeg ik op papier gisteren, dag van een dreigende deadline. 's Avonds ging ik een hap eten in het ziekenhuis. Ik kwam terug. Ze zei: 'Lieverd, ik heb een knop omgedraaid.' 'Welke zender', probeerde ik aarzelend lacherig. 'Dat we vooruit moeten', zei ze. 'Ik laat mij niet gaan.' Dat ze nog veel voor mij zou willen betekenen, maar mij niets meer kan geven. Vindt zij. Ik spreek haar tegen.

Twee paar ogen, geconfronteerd met het onafwendbare, blijven elkaar vinden. Misschien zal een keer wel alles wijken, maar niet die ogen van haar. Niet haar uitstraling. Niet de levenswijsheid die ze spreekt, die ze leeft, die ze mij leert.

Thuisgekomen wissel ik wat melancholische gedachten af met ergernis. Woede zelfs over wat ik op de spoedopname nu al een tweede keer mocht ervaren. Lallende zuipschuiten die artsen en verpleegkundigen rond hun bed dwingen. 'Gevallen, dokter. Het doet pijn, dokter.' Hilde wacht gelaten. Nauwelijks te harden rugpijn. Koorts. Angst. Maar ze zwijgt.

Een vrouw – een gordijn scheidt haar van ons – zegt tegen haar vriend dat het toch een schok moet zijn geweest voor haar dochtertje om hem in elkaar te zien zakken in de keuken. 'Dat is het leven', snauwt de man terug. 'Drinkt u meneer?' Vraag van de dokter. 'Nee. Vandaag nog maar een pint of zeven. En om de twee weken op vrijdag altijd twintig pinten. Dat wel.' En of hij rookt? 'Roken?' De vrouw neemt het woord. 'Dokter, hij is wegenwerker. Zijn sigaretten zitten gewoon in zijn mond. Die rook gaat dan alleen maar omhoog hè, dokter. Hij krijgt die niet binnen.' Twee pakjes per dag, zo blijkt. Maar hij krijgt niks binnen. Tijdens het wachten op de resultaten van zijn bloedonderzoek strompelt de man drie keer naar buiten om te roken. Gewoon een sigaret in de mond. Die rook gaat wel omhoog.

Dergelijke mensen ken ik natuurlijk al veel langer. Gezondheidsanalfabeten. Is dit nu onrechtvaardig? Hilde heeft haar hele leven lang alles met mate gedaan. Nooit gerookt. Een handvol keren een glaasje wijn gedronken. Lichaam verzorgd. En nu dat woordenboek zonder de term 'curatief' erin. Wat is dan het leven?

De volgende ochtend zegt Hilde mij dat de knop terug om moet. Die dag sla ik een nummer van *Filosofie Magazine* open. Ik lees een artikel van de Nederlandse journaliste en tv-presentatrice Mirella van Markus. Ze schrijft maandelijks over haar filosofische reis en haar queeste naar zelfinzicht. Een citaat:

Volgens Marc Van den Bossche blijk ik niet de enige die de zorg voor haar lichaam niet tot prioriteit maakt. Het ontbreekt aan aandacht voor het lichaam in de levenskunst – sterker nog: in de hele westerse cultuur.

Een glimlachje gaat even in concurrentie met mijn dan nog overheersende zwaarmoedigheid en vermoeidheid. Ik heb die dame blijkbaar geïnspireerd met mijn boek over sport als levenskunst. Mirella leert van mij dat sport niet hoeft te draaien om presteren. Wel om genot en om zelfverbetering.

Wie wint, stopt. Wie overwint, gaat verder. Overwinnen gaat om zelfoverwinning.

Schrijfster zegt te voelen dat hier voor haar wel eens de kern van de zaak zou kunnen liggen. Uit mijn boek onthoudt ze nog dat sport een grondstemming met zich meebrengt die al je andere activiteiten gaat 'dragen'. En dat hier een bron van zingeving ligt: de gewoontes die je voor jezelf creëert en die je leven stijl en richting geven. Schrijfster wil sport nu gaan zien als een manier om duurzaamheid te oefenen, om zichzelf te verbeteren, om te ontwikkelen en te groeien. Haar slotzin:

Geïnspireerd door Van den Bossche ga ik het doen.
Ik google: martial arts, Amsterdam.

Mevrouw Van Markus, u hebt mij geïnspireerd. U hebt mij opnieuw de weg getoond die ik even bijster ben geweest. 56.27 W/R, mijn trainingen van een ganse week. Vandaar die dip natuurlijk. Aan die grondstemming werken. Knop omdraaien. Straks ga ik joggen. Later vandaag zal ik Hilde in de ogen kijken. Het vuur zien.

In genoemd boek pleit ik tegen een kwantitatieve benadering van sport. Die moet plaats ruimen voor een kwalitatief, haast esthetisch ervaren. Deze namiddag ga ik aan Hilde vragen of we dit ook niet kunnen toepassen op het veel te korte leven dat haar nog rest. Mezelf verbeteren zal nu betekenen: sterker staan voor haar. Pijn wegnemen kan ik niet. Misschien kan ik die wel helpen dragen. Hoe lang het afscheid ook nog duurt, het zal mooi zijn. En van liefde vol. Maar kan ik dat vragen van haar? Het zou wel eens kunnen dat ze een beetje ontgoocheld is als ze me daaraan ziet twijfelen. We gaan nog altijd samen wandelen!

De dood in de ogen
ZOMER 2011

Alweer zo'n verhaal in de eerste persoon, mopperen
de eeuwige critici! Wat een genoegen om wapens in
handen te geven aan de kritiek die er een hekel aan
heeft dat het autobiografische genre wordt vermengd
met de beoefening van de filosofie... Elke theorie
komt echter voort uit de persoonlijke ervaringen van
iemand die door zijn op-de-wereld-zijn in zijn vlees is
gekwetst en lijdt, terwijl iedere willekeurige ander zijn
weg vervolgt zonder op of om te kijken.

Michel Onfray houdt dit pleidooi voor een autobiografisch schrijven in zijn boek *Het lichaam, het leven en het lijden*. Dat boek kwam er nadat bij zijn vrouw borstkanker was vastgesteld. Onfray's werk zie ik als een uitstekend antidotum voor alle filosofen en ethici die er niet in slagen los te komen van louter theoretische beschouwingen, los van een concreet, geëngageerd en geaffecteerd lijfelijk en emotioneel bestaan.

Dat ik zelf graag naar Nietzsche verwijs, kan dan ook geen toeval heten. Ook Onfray vindt de inspiratie voor een ander soort filosoferen bij Nietzsche, in *De vrolijke wetenschap*. Noem het een filosoferen vanuit de eigen lijfelijkheid. We denken over datgene waartoe het lijf ons dwingt. Ideeën en concepten getuigen van een lichaam dat geniet en lijdt, dat tot leven komt, bloeit en uiteindelijk definitief verdwijnt. Denken zou een autobiografie van het lichaam kunnen zijn. De filosofie heeft dit vooral trachten te verhullen in hersenspinsels over de zuivere rede en aanverwante fantasieën. Onfray:

Heel wat echtgenoten en vrienden verlaten hun vrouw of vriendin zodra ze horen dat ze kanker heeft en zonder dat ze iets anders hebben meegemaakt dan dat ze hoorden dat ze ziek was. Dus lang voor de chemotherapie, het braken, de misselijkheid, de haaruitval, de verminkingen, geven ze aan de dood het wezen prijs dat ze eens hebben gekozen, met wie ze zijn getrouwd voor goede tijden en voor slechte tijden, die de moeder van hun kinderen is geworden. In één dag vallen jaren weg met geen ander motief dan een toekomstige beproeving. Echt, nooit zal ik aan de laagheid van de mannen kunnen wennen...

Hilde en ik kregen dit verhaal over een man die zijn vrouw verliet bij wie net kanker was vastgesteld, ook te horen toen we het contract gingen tekenen voor de nieuwe flat die we zouden betrekken na ons huwelijk op 1 juli. Hilde heeft de verhuis niet gehaald. Alsof ze erop had gewacht, is zij de dag na ons huwelijksfeest compleet weggedeemsterd. De spoedopname was meteen ook de laatste ziekenhuisopname. Toen kreeg ik te horen dat ze zou uitdoven als een kaars. We kregen een kamer voor twee. We schoven onze bedden tegen elkaar voor wat de laatste vijf nachten van haar leven zouden blijken. Ik citeer nog eens Onfray:

> Dan voegt wat ontbreekt iets toe. Met het gapende gat verwerft het zijn extra zelf. Het wegnemen staat gelijk met een toevoeging. Je ontdekt dat wat je bij de ander liefhebt onvervreemdbaar is, behalve door de dood, en dan nog.

Ik doe Onfray hier een beetje onrecht. Het ontbreken, het gapende gat, het wegnemen, dat alles gaat bij hem om de borst van zijn vrouw. Die laatste vijf dagen confronteerden mij echter met een heel andere vorm van wegnemen, een heel ander gapend gat. Ik zag mijn geliefde uitdoven. Ik zag hoe *zij* werd weggenomen. Ik ervoer het gapende gat in mijn komende leven. Mijn confrontatie was er één met een ontbreken dat nooit meer lijfelijk zou kunnen gecompenseerd worden. Ik wil niet aan een opbod van miserie doen, maar dit aspect van het lichaam, het leven en het lijden heeft Onfray niet in zijn boek moeten verwerken.

Eigenlijk wens ik niet veel meer te vertellen over die vijf dagen. Clichés over wegtikkende minuten zouden makkelijk zijn. De angst voor het inslapen en weten dat het de allerlaatste nachtzoen zou kunnen geweest zijn. Het wakker schrikken 's nachts en de opluchting dat je nog een andere ademhaling dan de jouwe hoort... het lijken haast evidenties. Communicatie was nog nauwelijks mogelijk. Met woorden eigenlijk niet.

Wat ik echter niet wist en wat ik nooit zal vergeten, dat zijn de onuitgesproken woorden die gevormd werden door haar ogen. We denken makkelijk dat wie de dood in de ogen ziet, dit doet met angst en weerzin. Ik zeg u: nooit eerder had ik meegemaakt hoeveel liefde twee ogen konden spreken. Hoe ze mij aankeek op een bepaald moment, ik meen op de voorlaatste dag, dat voltooide onze relatie. Ze werd weggenomen, maar door die ene zo immens liefdevolle blik werd iets toegevoegd aan mijn leven. Van die schoonheid van een uitdovend leven dat zich verzoend heeft met het einde, van een leven dat in het mijne zat en omgekeerd, van die schoonheid wil ik blijven getuigen. De troost van schoonheid begon daar.

De zin van het leven

Wat is er van de filosofie geworden? Wat is er geworden van haar vraag naar wat een goed en wijs leven is? Durft zij het nog aan de 'oervraag' te stellen naar de zin van het leven? Vooral de academische filosofie is die eens zo eminente vraag helemaal uit het oog verloren. Hoe wij zin en betekenis geven aan ons leven, is een vraag die de voorbije decennia slechts in de marge werd gesteld. Dit boek gaat over die vraag, zij het via een omweg of althans niet rechtstreeks. Het is de vraag die zich op de achtergrond van alle in dit boek verzamelde verhalen bevindt.

Ik beschouw mijn getuigenissen hier dan ook als een soort *casestudy*: hoe die vraag naar zin en naar een goed leven in de praktijk vorm kan krijgen. Hoe die worsteling zich voltrekt in de voortdurende dialoog die iemand aangaat met zijn of haar omgeving. Die worsteling krijgt hier een climax bij de uiteindelijke vraag naar de zin van de dood. Filosofen zijn daar zeer stil over geweest. Laat staan als het de vraag betreft naar de omgang met de dood van een geliefde en hoe je dat verwerkt, hoe dit eindpunt een plek moet krijgen in het eigen levensverhaal. Hoe schrijf je verder aan dat eigen verhaal als de dood iemand uit je reeds geschreven verhaal wegplukt?

Ik ben een academisch filosoof. De terminologie van

een lange traditie van denken over het leven, van denken over wat de mens is, hoe hij interageert met de wereld, hoe die wereld ons grijpt enzomeer, die terminologie is mij na pakweg vijfendertig jaar filosofische activiteit in ruime mate bekend. Doorheen mijn werk als docent en als schrijver heb ik enkele expliciete standpunten ontwikkeld wat deze vragen betreft.

Die standpunten, mijn mens- en wereldbeeld zeg maar, kregen een heel andere dimensie op het moment dat mijn geliefde ernstig en terminaal ziek werd en overleed. De laatste ademtocht van iemand wier hand je vasthoudt, vergeet je nooit. En wat te zeggen van dat laagje as dat je een week later ziet uitgestrooid worden op een grasveld: dat is wat blijft van een lichaam dat je jarenlang hartstochtelijk hebt bemind. Wat doe je op zulke momenten met je filosofische achtergrond? Laat me beginnen daar enkele ideeën uit te lichten, ideeën die mij altijd begeleiden bij mijn denken over mens en wereld.

Vooreerst is er het expliciete uitgangspunt dat de manier waarop wij zin en betekenis geven aan ons leven, begint bij onze lichamelijke dialoog met een omgeving. Ik ga uit van een materialistisch standpunt. De vraag naar zingeving heeft voor mij totaal geen uitstaans met een vermeend metafysische, hogere dimensie van ons leven. Al zeker denk ik niet in termen van een goddelijke instantie. Hoe wij in de wereld staan, benader ik op een wijze die als *down to earth* kan omschreven worden.

Hoe worden wij 'gestemd' door een omgeving? De wereld werkt op mij in en geeft daardoor al meteen een kleur aan mijn denken en handelen. Bevind ik mij in hectische omstandigheden, dan vertaalt de daar heersende stress zich ook in mijn lichamelijke en emotionele toestand. Bevind ik mij een tijd later met mijn geliefde op een zonovergoten strand in een zuidelijke vakantiesfeer, dan reageren mijn lichaam en mijn emotionele huishouding daar totaal anders op. Ik denk anders. De wereld ziet er anders uit. Ik geef er anders betekenis aan. Ik ben anders gestemd. Ik denk anders over de zin van wat ik op deze aardkluit zoal te doen heb.

De traditie van de westerse filosofie heeft dit basale uitgangspunt, dat primordiale lijfelijke en emotionele contact met de wereld, grotendeels genegeerd. De ratio zat voortdurend op de troon. Emotie en lichamelijkheid zijn altijd een beetje verdacht geweest. Bovendien kreeg die ratio steevast een individualistische invulling. Het ik leek als het ware te denken vanuit de beslotenheid van het eigen innerlijk. In een van mijn cursussen noem ik dat, met de feministische filosofe Seyla Benhabib, een beetje provocerend *the masturbatory self*. Feministes hebben dat zelfgenoegzame ik vaak als het typisch mannelijke ego beschreven. Dat ego lijkt onlichamelijk en wereldloos te zijn: het heeft aan zichzelf genoeg. Met het feminisme pleit ik graag voor een belichaamde en ingebedde visie op de mens. We zijn in eerste instantie lichamelijke en emotionele wezens en we delen meteen en onvermijdelijk een wereld met anderen. Als ik ben ik een ik-met-anderen.

Dat leidt tot een tweede uitgangspunt. Hoe ik tot betekenis kom, deel ik ook met anderen. We zijn niet alleen zingevers, maar ook ontvangers van zin. We delen een betekenishorizon met anderen. Die horizon is gegeven. Dat betekent niet dat ik er helemaal door bepaald word. Wel dat ik altijd dáár begin. Mijn eigen weg vangt altijd aan vanuit een horizon die gemeenschappelijk is met die van anderen. Hoe die anderen mij benaderen, hoe ze mij erkennen, als wie en als wat, heeft verder ook implicaties voor hoe, als wie en als wat ik mezelf zie. Zin- en betekenisgeving heeft te maken met wat ik als mijn identiteit beschouw. Die identiteit komt altijd op dialogische wijze tot stand. Wie je bent, hoe je jezelf ziet, heeft altijd te maken met hoe anderen – 'de significante anderen', zou Charles Taylor zeggen – ons erkennen. In *De malaise van de moderniteit* schrijft Taylor:

> Het algemene kenmerk van het menselijk leven dat ik wil oproepen is het fundamenteel *dialogische* karakter ervan. Wij worden volledige menselijke personen, in staat onszelf te begrijpen en daardoor een identiteit af te bakenen, doordat wij rijke menselijke uitdrukkingsmogelijkheden verwerven. Met het oog op de discussie wil ik 'taal' opvatten in een brede betekenis: niet alleen als de woorden die wij spreken, maar ook als andere uitdrukkingswijzen waarmee wij onszelf definiëren, waaronder de 'talen' van de kunst, van gebaren, van liefde en dergelijke. *Niemand verwerft zich de talen die nodig zijn om zichzelf te definiëren in zijn eentje.* [Mijn cursivering.]

Mijn 'levensfilosofie' zou ruwweg kunnen worden herleid tot die twee basisideeën: het individu staat belichaamd en dialogisch in de wereld.

Dit materialistische perspectief biedt niet veel troost als je geconfronteerd wordt met de dood van een geliefde. De confrontatie met een laatste ademstoot die iemand over de grens van leven naar dood tilt, de aanblik van alleen nog een laagje as enkele dagen later, de zekerheid dat iemand nergens meer is, terwijl je toch voortdurend geconfronteerd wordt met dingen die blijven, met dat alles kom je niet makkelijk in het reine als je aanvaardt dat de mens enkel materie en energie is en dat er geen enkele troost te ontwaren valt in hemelse sferen. En een dialoog schijnt gestopt. Met de nadruk op: schijnt.

Het kan een krasse uitspraak lijken, maar ik beweer dat wat mij helpt in mijn rouwproces, nu net die dialoog is die is blijven verdergaan. Zo vaak kreeg ik aan het ziekbed van haar te horen dat ik moest doorgaan na haar dood. 'In beweging blijven', het leek een haast letterlijk te nemen gebod voor iemand die het goede leven vaak in een doordachte en soms intensieve lichaamscultuur zocht, in sportexploten bijvoorbeeld. Dit 'dagboek van een rouwproces' is op deze manier ook een dagboek van mijn lichaam.

In november 2010, acht maanden voor het overlijden van Hilde, verscheen mijn boek *Sport als levenskunst*. Hilde heeft het van begin tot eind gelezen. Onze dialoog over haar ziekte en haar nakende dood begon daar.

Het manuscript voor dat boek, een vurig pleidooi voor lichaamscultuur en duursport, was klaar op een vrijdag begin augustus van datzelfde jaar. Een dag later kwam het nieuws over haar ziekte: een zeldzame, maar agressieve vorm van borstkanker. Nog een week later bleek ook nagenoeg elke ruggenwervel aangetast en werd ons gezegd dat genezen niet meer kon. U ziet het contrast, de harde confrontatie tussen de in dat manuscript ontwikkelde filosofie van de lichamelijkheid en het nieuws over een geliefde die radicaal met de eindigheid daarvan te maken krijgt. Als filosoof wil ik daarmee in het reine proberen te komen – bijvoorbeeld door erover te schrijven. *Leven na de dood* is de neerslag van die poging. Mijn hoop is dat lezers die iets gelijkaardigs meemaken, hier kracht kunnen uit putten. Evengoed is dit ervaringsboek een filosofisch traktaat dat niet anders wil beweren dan dit: we zijn lichamelijke, kwetsbare, eindige wezens die enkel van daaruit zin en betekenis kunnen geven aan hun leven. En we doen dat in dialoog.

Gekruisigd

Het is zondagmorgen. Om half acht 's morgens doen de kerkklokken van Sint-Gillis-bij-Dendermonde er altijd een paar slagen bij, boven op die ene gebruikelijke van het halve uur. Vraag me niet waarom. Terwijl die klokken daar hun naarstige best hangen te doen, kom ik tot het voor mij nogal merkwaardige besluit dat ik een religieus verhaal ga schrijven. De ingrediënten komen brokkelsgewijs mijn naar inspiratie trachtende geest bevolken. Ze heten: bezinning, geseling, kruisiging, bedevaart en wederopstanding. Ik wil graag aannemen dat dit in historisch-theologische zin een wat mank lopende chronologie is, maar een mens mag toch al eens eigenzinnig het eigen levensverhaal en de wat bredere geschiedenis herschrijven. Vind ik.

Bezinning

Vandaag, 1 juli 2012, zouden we onze eerste huwelijksverjaardag gevierd hebben. Die dag straalde Hilde. Fier rechtop liep ze na de ceremonie op het stadhuis over de Grote Markt van Dendermonde. Het had mij enige moeite gekost haar toch die wandelstok te doen gebruiken. Ze had een hekel aan dat ding. Ze had ook een hekel aan momenten waarop ze door anderen behandeld werd als zijnde ernstig – lees ongeneeslijk – ziek. Op 1 juli 2011 was Hilde niet ziek. Ze was gelukkig. Opgeven was niet eens een bijgedachte, zelfs niet in een verre vage vorm van dat door haar misprezen werkwoord. Zeventien dagen later is zij overleden. Hand in hand met mij. Zoals op onze huwelijksdag.

Alle maanden voordien had ze mij voorgehouden de kop niet te laten hangen na haar dood. Ik moest verder en we hadden daar samen al een heel scenario voor bedacht. Mensen coachen was haar ding. Ik zou me dus herpakken. Sport zou me daarbij helpen. Verdriet mocht niet omslaan in een moeilijk leefbare zwaarmoedigheid. Ik zou mijn lijf nog eens stevig aan het werk zetten om dat te voorkomen. Het is me nauwelijks gelukt.

Deze eerste dag van juli noopt mij bijgevolg tot enige bezinning. Eigenlijk ben ik er al een week mee bezig, met dat herpakken. Ik heb vaak moeten afhaken in de voorbije maanden. Mijn rug deed pijn, ik sliep nauwelijks, één scheef woord en mijn humeur was kromgetrokken voor de rest van de dag. Soms langer. Op een maandagmorgen landde ik op Zaventem, na een doorwaakte nachtvlucht vanuit New York. In vroegere jaren stond Hilde me dan op te wachten. Mijn lichtjes vertroebelde geest keek daar ook nu naar uit. Zou het kunnen dat...? Vermoeidheid in combinatie met een nooit meer te vervullen verlangen. Wankele geest in een wankel lichaam.

Herpakken. Herpakken. Herpakken.

Twee artsen sprak ik onlangs in een ziekenhuis in Herentals. Van de eerste vernam ik dat die linkervoet van mij, ooit verbrijzeld door een ongeval, er eigenlijk niet zo slecht uitzag. Ik dacht aan zijn Gentse collega die me in 1989 had gezegd dat ik nooit meer zou kunnen hardlopen. De andere arts in Herentals was minder somber en had het over een wat grote mobiliteit van de ruggenwervels. Wat mij – op dat moment nog in gedachten – een huppelsprongetje deed maken: 'Sport zou er goed aan doen.'

Lopen mocht en kon, fietsen niet minder. Tijdens mijn terugrit naar huis sms'te ik iemand: 'Schitterend nieuws. Ik mag opnieuw intensief sporten.' Kwestie van de medische boodschap een eigen invulling geven. Het waren gewoon de woorden die ik nodig had. Een soort startschot. Eén dat lang bleef natrillen.

Geseling

Ik heb een voorschrift meegekregen voor de fysiotherapeut. Mijn rugspieren moeten een update krijgen, mijn romp wat meer stabiliteit. Een fysiotherapeut hier enkele straten verder heeft een eigen fitnesscentrum naast de praktijk. De behandeling krijgt dus daar haar beslag. Vier maal tien keer een soort roeibeweging maken met de gewichten op vijftien kilo ingesteld. Zo zegt hij dat. Ik maak daar dan vier maal twaalf keer van. Altijd al de beste van de klas willen zijn. Drie maal twintig keer een staaf van boven het hoofd naar mijn nek trekken, wordt drie maal vijfentwintig. De beste van de klas wil zich geselen.

Ik zie het beeld van Hilde. Met haar kwam ik hier om haar loopvermogen nog een beetje te kunnen redden. Dat deelden wij: de beste van de klas willen zijn.

Zij geselde zich voortdurend. Nooit kon de lat hoog genoeg liggen. Nooit was ze 'er'. Alles kon beter. Ik heb dus een excuus voor mijn zelf opgelegde geseling.

Kruisiging

Christus. Zo zie ik mezelf daar hangen. Zou het een psycholoog zijn geweest die ooit heeft bedacht dat een fitnesszaal spiegels aan de wanden moet hebben? Of zou het een goddelijk bevel zijn geweest: 'Zie uzelf, mens. Zie uw eindigheid. Uw verval.'

Ik neig naar dat laatste. Negentig kilo zwaar, de armen wijd, kan ik met moeite mijn handen aan de uiteinden van die staaf houden. Gewoon hangen. Vijf seconden. Vier keer. Ik denk dat mijn zeer persoonlijke secondeteller sneller gaat dan de geijkte versie daarvan. Pijn. Kreunen. Vloeken. En dan zegt de fysiotherapeut: 'Overal waar je zo kan gaan hangen, maak er gebruik van.' Schijnt zeer goed te zijn. Ik heb nog niet overal rondgekeken. Als ik dan al eens de openbare orde zou willen verstoren, dan toch niet met die pijnlijke grimassen.

Ik neem mij wel voor een jaarabonnement te nemen na afloop van de voorgeschreven behandeling. Drie keer per week aan het kruis. Hoe lang dit zal duren weet ik niet, maar op een dag zal ik daar aan het kruis hangen alsof ik ervoor geboren ben. Met een glimlach.

Bedevaart

De bedevaart is begonnen. Diezelfde fysiotherapeut heeft voor een tweede startschot gezorgd dat mij op pad doet gaan met een verbetenheid die ik voordien niet heb ervaren. Twee uitspraken heeft hij daarvoor nodig gehad. De eerste gaat over leeftijd. Mijn leeftijd dus. Ik ben nu tweeënvijftig. In een van mijn columns heb ik geschreven over mijn tachtigjarige idool Ed Whitlock die nog marathons loopt in minder dan 3u30. Ik ben dus jong. Ik wil wat. Ik heb nog veel tijd. Punt. De tweede uitspraak heb ik zelf uitgelokt. Aan het kruis gehangen kreun ik dat er de voorbije tijd wat kilo's zijn bijgekomen. De fysiotherapeut, nog altijd die van het goddelijk bevel, kijkt naar mijn buik en zegt: 'Het is eraan te zien.' Van de volgende vijf seconden maak ik er acht. Thuisgekomen toon ik mijn handen aan mijn dochter. Trillend als een alcoholist die het een dag zonder moet doen. De *would-be* beste van de klas is iets te diep gegaan. Maar die twee uitspraken blijven nazinderen. Nog nadrukkelijker dan bij dat eerste startschot. Herpakken!

Wederopstanding
Zes jaar geleden, in 2006, liep ik de marathon van Kasterlee uit. Dat was vijf maand nadat ik opnieuw, vanop nul, begonnen was met hardlopen, omdat ik met acht ribbreuken en een sleutelbeenbreuk mijn fietsstuur niet zo goed meer in de hand had. De eerste dag deed ik twee of drie keer achthonderd meter met wat wandelen tussendoor. 's Avonds zocht ik uit wat de laatste marathon van dat jaar zou zijn in België. Zeventien jaar na de uitspraak van die arts in Gent – dat ik nooit meer zou kun-

nen hardlopen – interpreteerde ik dat ook toen al als een startschot. Dat ik op 12 november 2006 in Kasterlee de eindstreep haalde, ervoer ik als een wederopstanding. Dit jaar doen ze het daar op 18 november. Ik weet al over wat ik ga denken na de aankomst.

Stilletjes zal ik mompelen: 'Lieverd, ik heb mij herpakt.'

Dagboek van een sportprutser

HERFST 2012

1 september

Deze zomer, op reis in New York, is het mij duidelijk geworden. *Just keep moving.* Wat en hoe je het doet, is van minder belang. Dát je het doet, intens en vooral met veel goesting, daar gaat het over.

Zoals altijd had ik een hotel gekozen met min of meer respectabele fitnessfaciliteiten. In mijn bagage drumden loop- en zwemoutfit tegen de even noodzakelijke boeken. Noch fitnesslokaal, noch sportkledij heeft mijn dagen in *the Big Apple* echter helpen vullen. Ik heb er gestadswandeld. Intens en met veel goesting. De uren rondstruinen in het Museum of Modern Art of het Metropolitan of het Guggenheim reken ik er niet bij. Je blijft wel *moving*, maar dat doen schakers ook aan hun tafel. Die slenteruren dus niet meegeteld, kwam ik toch makkelijk aan drie, vier tot zes wandeluren per dag. Een jetlagweek lang. Nooit zo goed geslapen in de States. Is dat sport? Weet ik niet. Dat is hier ook een overbodige vraag. Noem het lichaamscultuur. In combinatie met dat andere cultuurproeven – van kunst – heeft het toch iets: een mens probeert hier te streven naar vervolmaking van *body and mind.*

Natuurlijk gaat zoiets mogelijke plannen dwarsbomen. Vergeet dat schema voor een marathon, of dat voor een najaarse wielertoeristenklassieker. *So what?* Het plezier was er. Het lijfelijke effect niet minder. Enkele dagen na terugkeer en na anderhalf uur in onze plaatselijke fitnesszaal te hebben volgezweet, kwam ik tot het bedenken van een naam voor mijn sportdiscipline: prutsen. Beter: sportprutsen. Zo zou ik mezelf nu noemen. Een sportprutser. Bedenk hierbij, dierbare lezer, dat een sportprutser niet hetzelfde is als een prutssporter. Ik leg het verschil uit. Morgen.

2 september
Een sportprutser zou ook sportproever kunnen heten. Een essayist in een sportieve versie van dat woord. Sportproeven is snoepen zonder naar volkomen verzadiging te streven. Waarom niet? Omdat je nog goesting wil hebben in dat andere snoepgoed. Alleen maar hardlopen smaakt anders dan hardlopen en fietsen en zwemmen en fitnessen. Fantaseer er nog maar wat bij. Het ideaalbeeld: elke dag kunnen sportprutsen. Op bevlogen momenten graag twee keer daags. Sportprutsen heeft een niet geringe intensiteit. Ook sportprutsers hebben enig eergevoel: je sportprutst goed of je sportprutst niet. Zou ik me ook een sportproever kunnen noemen? Ik raak er niet goed uit. Sportproeven klinkt hipper en sexyer dan sportprutsen. Dan had ik ook kunnen zeggen dat dit niet hetzelfde is als proefsporten. Proefsporten heeft iets van een aanloop naar wat definitief moet worden. Je doet het op proef. Lukt het, dan ga je er helemaal voor.

Sportprutsers gaan helemaal voor het prutsen als doel op zich. Sportprutsers opponeren zich aan de zogeheten prutssporters. Die doen het ondoordacht. Ze lopen te snel, fietsen te snel, kijken te veel in de spiegels in de fitness. Ze meten zonder te weten.

7 september

Wandelen. Wandelsport. Het blijft me wat braafjes klinken. In het Engels bestaat de term *powerwalking*. Wandelen, maar in de modus 'stevig'. Ik hou ervan. Beetje noodgedwongen misschien vanwege allerlei fysieke troebelen, maar toch. Mijn lange uithoudingstrainingen zijn nu bijna altijd stevige wandeltochten. Minstens vier uur.

Ooit, in de prille beginperiode van het tijdschrift *Body Talk*, las ik een artikel over de effecten van wandelingen. Twee keer de duur van hardlopen was genoeg om hetzelfde cardiovasculaire effect te bekomen. *Brisk walking.* Dat klinkt ook niet slecht. Maakt een mens wat minder blessuregevoelig. Ik lees overigens zelden iets over de combinatie van hardlopen en *powerwalking*. Anderhalf tot twee uur, in intervallen van twee tot vijf minuten afwisselend joggen en wandelen (*power! brisk!*).

9 september

Vaststelling van de dag: ik loop trager dan mijn schaduw.

11 september

Citaat uit een mailtje van een jongere collega die werkt

bij het Centrum Leo Apostel aan de Vrije Universiteit
Brussel:

> Ik ben vorige week vanuit onze vakantiestek met de
> fiets tot in Bédoin gereden om tot mijn ontsteltenis te
> moeten vaststellen dat de Mont Ventoux het nieuwe
> bedevaartsoord – inclusief zwerfafval – is geworden
> van alles wat zich op twee koersbandjes voortbe-
> weegt. Ik heb me dan maar gelaafd aan tochtjes in de
> schitterende omgeving.

Hij bedoelde dus: op de Ventoux zijn te veel prutssporters aan het werk. De sportprutser daarentegen is
een holist. Zij of hij ziet zichzelf als deel van een omgeving. En heeft daar respect voor.

16 september
Sportprutsers zijn twijfelaars. Laatbeslissers ook.
Momentplukkers. Na een uur fietsen op deze zondagmorgen kwam het besef dat ik mij lekkerder had gevoeld
bij een stevige wandeling. Zondagnamiddag: drie uur
gestapt. Niet meer getwijfeld. Ik schrijf dit op de maandagmorgen nadien. Zo een van die dagen waarop het
energiepeil straffe beloftes in zich lijkt te dragen. Straks
een ganse dag vergaderen op het Fonds voor Weten-
schappelijk Onderzoek. Mondigheid zal niet het probleem zijn. De zuurstoftank zit vol.

19 september
Ik dacht zo: best een leuke test voor de sportprutser, een
marathon lopen. Mij herpakken, dat ga ik doen in Kasterlee op 18 november 2012. Sportprutsend dacht ik vervolgens dat wel te kunnen klaren in een uur of zes.
Tenslotte stap ik veel en doe ik dat in een stevig tempo.
Vanavond heb ik mij vol goeie moed ingeschreven, kort
na weer zo'n typische sportprutstraining: een uur stappen en dan nog vijfenveertig minuten stappen en hardlopen afwisselen. Ook een soort intervaltraining, niet?
Na inschrijven en betalen ga ik wat zitten grasduinen
op de website van de marathon van Kasterlee. Tijds-
limiet: 5u30. Nu begrijp ik wel dat al die medewerkers
ook nog iets aan hun zondag willen hebben. Maar mag
dat niet een half uurtje meer zijn? Deze morgen woog ik
93,2 kg. Leeftijdscategorieën hebben ze daar wel, maar
aan gewichtscategorieën denken ze blijkbaar niet in ma-
rathonmiddens. Nog een kleine negen weken heb ik.
Mijn ambitie is dus zonder meer: kunnen eindigen binnen de limiet. Niemand zal trager zijn. Daar ga ik nu
eens voluit voor. Wordt daar ook op gewed?

20 september
Gisteren lichtjes aan het twijfelen gegaan na mijn inschrijving voor de marathon. Kan dit? Moet dit? Wat
met mijn overgewicht? Wat met mijn gebrek aan echte
looptrainingen? Maar ik bleef recht in de sportprutsleer:
drie uur gaan fietsen vandaag. Het zal wel ergens goed
voor zijn. En het was leuk. Gewoon leuk.

21 september
Mijn motto blijft: deelnemen is belangrijker dan thuis blijven.

24 september
Open brief aan de auteur van http://entrainement-sportif.fr/plan-entrainement-marathon.pdf

Geachte,
Vandaag had ik eraan moeten beginnen. Het schema om een marathon voor te bereiden in acht weken tijd, leek mij na mijn onverhoedse inschrijving van vorige week een geschenk uit de hardlopershemel. U vraagt van mij vandaag een uur aan hardlopen te doen volgens dit schema:

15 mn entre 70 et 80% FCM
5 mn entre 80 et 90% FCM
3x4 mn entre 90 et 95% FCM
(recup 4 mn entre 70 et 80% FCM)
15 mn entre 70 et 80% FCM*

Nu moet u weten dat ik het altijd moeilijk heb gehad met schema's. Ze lijken mij de perfecte antistof voor plezier in sport. Dat zal wel aan mij liggen natuurlijk, maar als ik er al eentje volgde deed ik dat altijd buitengewoon

---

* FCM is een afkorting van *fréquence cardiaque maximale* (maximale hartfrequentie).

slecht. Alsof ik ze scheel bekeek: graag het dubbele van wat er stond voor mij. Zo ongeveer toch.

Ik vertrok vandaag vol goeie moed. Uw schema zat perfect in mijn hoofd. Tien minuten stevig doorstappen doe ik sowieso. Dat is wat ik nodig heb om mij zonder hulp van wielen naar de atletiekpiste hier verderop te begeven. Het regende. Het waaide. Familieruzie in de hemel, zo leek het. Die jankende wind was al meteen een excuus: de intervallen zouden te zwaar zijn. Regen. Gure wind. Ik had een regenpak aan en droeg een pet. Die van de marathon van Kasterlee 2006. Ik ben er twee uur en vijftien minuten mee gaan stappen op de Scheldedijken. Nergens voel je die heerlijke regen en die strelende wind beter. Nergens. Althans: toch niet vandaag.

26 september

Geachte,

Excuseer mij omdat ik u nogmaals dérangeer. Maar stel dat ik uw schema gisteren had gevolgd, mijn dag was vandaag heel wat minder leuk geweest. Ik nam de trein naar Brussel Centraal. Vandaar stapte ik naar de universiteit. Met een blokje of twee om (leve de omweg!) doe je daar ongeveer een uur over. Op het einde gaat het wat bergop. De Kroon(laan) op het werk. De kers op de taart komt dan nog: vijf verdiepingen traplopen. Ik begin altijd op -1, een probleem van een masochistisch slecht karakter. Snel een koffie, op naar de les, ander gebouw, vier verdiepingen traplopen. 's Avond te voet naar Centraal, plus te voet naar huis. Zegt u dat ik vandaag niet gesport heb? Nee? Hoe noemt u dat dan wel? Ik zal u zeggen, geachte, uw schema heb ik perfect in mijn hoofd, maar het zit niet in mijn lijf.

Tot in Kasterlee. Salut!

1 oktober

Vandaag 1u40 gefietst. Leek me niet slecht om te bekomen van een hardloop/powerwalktraining van gisteren. Onmiddellijk nadat ik de dagboeknotitie hierboven had afgewerkt, werd ik door twijfel bevangen. Een marathon, die van Kasterlee dan nog wel, met een gemiddelde van 7,7 km/u op basis van wandeltrainingen en een minimum aan hardlopen... Hoe zou dat moeten lukken? Proef op de som genomen dus. Ik ben begonnen met pisterondjes tellen. Eindrapport: 7,250 km/u gemiddeld na tweeënhalf uur. Ik kom er dus niet.

Later die dag stuit ik in de briefwisseling tussen twee van mijn lievelingsauteurs, Paul Auster en John Coetzee, op een dialoog over het plezier van competitie. *Een manier van vriendschap* heet het boek, en daarin heeft Coetzee het over een schaakpartij die in remise eindigt. Nadien overloopt hij de zetten nog eens in gedachten en beseft dat hij nog even had moeten doorgaan en dan ongetwijfeld verzekerd was geweest van winst. Hij associeert competitie helemaal niet met plezier, maar wel met:

een staat van bezetenheid waarin de geest op één absurd doel is gefixeerd: een onbekende verslaan die je nooit eerder hebt gezien en ook nooit meer zult zien.

Coetzee is om die reden gestopt met schaken. Wel heeft hij nog heel wat gefietst, maar alleen met de bedoeling het er zo goed mogelijk van af te brengen. Winnen of verliezen is dan niet meer van belang. Het is een privézaak: ben ik content met wat ik doe of niet? Dat is wat ik ook voor ogen heb. Toegegeven: in zekere zin als een soort van zelfbescherming. Paul Auster ziet dat anders. En ik kan ook wel iets aan met zijn redenering. Voor hem gaat het gevecht met rivalen om het gevoel van verlossing dat je bekruipt als je jezelf helemaal geeft in een sport. Ik koester zijn woorden:

Het weldadig effect op zowel lichaam als geest, veroorzaakt door absolute concentratie op een specifieke taak op een specifiek moment, het gevoel 'buiten jezelf' te zijn, en tijdelijk verlost van de last van het bewustzijn.

Winnen en verliezen zijn voor de Amerikaanse auteur noodzakelijke, maar secundaire factoren. Hij ziet het als het excuus dat je nodig hebt voor een maximale inspanning. Ik koester zijn woorden niet langer als hij een paragraaf verder zegt lichaamsbeweging omwille van de lichaamsbeweging altijd stomvervelend gevonden te hebben. Maar goed, zijn conclusie valt best te pruimen: het gaat er niet om dat je wint, maar dat je zo goed mogelijk je best doet.

Hoe Auster tot dat besluit komt, vind ik merkwaardig. Alleen in teamsporten zou je zo jezelf kunnen motiveren. Bij individuele sporten staat volgens Auster het ego te veel centraal. En dat ego zou zich dan willen bevestigen door anderen te verslaan. Ik bevestig mijn ego door mezelf af en toe eens te verslaan. Bovendien: wetende dat individuele competities altijd maar één winnaar hebben. Wat doe je dan met al de rest? Een team psychologen aan de aankomst zetten om al die geknakte ego's op te vangen?

7 oktober
Ontdekking van de dag: ik heupwieg tijdens mijn powerwalktrainingen. Nog eens een bewijs dat het lichaam zelf denkt en naar de beste manieren zoekt om zo efficiënt mogelijk te bewegen.

8 oktober
Mijn uurgemiddelde ligt al honderd meter hoger. Dat ego loopt toch nog vooral te twijfelen.

10 oktober
Ze staat me daar wat uitdagend aan te kijken:

Durf je me aan? Kom, wees een man! Kleed je uit...
Ik wacht. Zie mijn gladde omtrekken. Mijn vensertje
glinstert. Ik verlang ernaar dat je mij beroert. Vertrouw
dat heerlijke lijf van jou nog eens aan mij toe. Vertrouw me, vertrouw me, vertrouw me.

Ik bezwijk. Trek opnieuw mijn broek uit. Schoorvoetend benader ik haar. Bestijg haar. Ik sluit de ogen. Ze schommelt wat heen en weer. Valt stil. Ik kijk. 94 kg. Nog rampzaliger dan een week geleden. Ook tegenover apparaten wil ik een humane houding aannemen. Ik heb haar dus geen pijn gedaan. Ze staat wel uit het zicht vanaf nu. Lonkende blikken... Niet meer met deze jongen! Weegschaal geschorst voor onbepaalde duur.

14 oktober
Beroepswandelaar, zou dat een erkende job zijn?

18 oktober
Op een week tijd word ik twee keer gebeld door journalisten. De eerste zou mij in een tv-programma iets willen horen zeggen over een zatte voetballer die een winkel van een tankstation is binnen gereden. Een uur later heb ik een analyse klaar die echter niet in de studio zal moeten verkondigd worden. Meer spek voor de bek van psychologen misschien. Geef die jongen toch maar een goeie koersfiets om mee uit te gaan. Misschien krijgt hij die van Lance Armstrong, die zo zijn imago wat zou kunnen opkrikken. Daar heeft de tweede journalist het over. 'Of de sport nog wel een moreel kompas heeft?'

Ik repliceer met de bedenking dat sport in die zin ook maar een afschaduwing is van de maatschappij. Welk moreel kompas valt daar nog te bespeuren?

De Koreaans-Duitse filosoof Byung-Chul Han zegt in zijn essay *De vermoeide samenleving* behartenswaardige dingen die ik zo naar onze hedendaagse beleving van sport zou willen vertalen. Han schrijft dat de eenentwintigste-eeuwse maatschappij geen commandosamenleving meer is, maar een prestatiesamenleving. Mensen zijn geen ondergeschikten meer, maar *high potentials*, geen gehoorzaamheidssubjecten, maar prestatiesubjecten. Ieder is de ondernemer van het eigen ik. Waar de commandosamenleving nog geleid werd door het verbod en het niet-mogen of door de dwang van het moeten, daar worden verbod en gebod nu meer en meer overboord gegooid en vervangen door het onbegrensde *kunnen*. Verbod, gebod en regulering maken nu netjes plaats voor project, initiatief en motivatie. Byung-Chul Han:

> De commandosamenleving werd nog beheerst door het nee; haar negativiteit verwekte krankzinnigen en misdadigers. Maar de prestatiesamenleving baart depressieven en kneuzen.

Han is niet nieuw met zijn analyse. Vanuit het denken van Foucault kan ik hier makkelijk aan toevoegen dat het moeten nu zeker niet verdwenen is. Alleen hebben we het in ons opgenomen, geïnterioriseerd. We ondergaan vrijwillig de maatschappelijke dwang die ons wordt gepresenteerd als kunnen en als zelfverwerkelijking. Wat haal ik maximaal uit mijn potentieel? Als dit de enige imperatief is geworden, ligt de weg open voor perverse strategieën als diegene die werd ontwikkeld door Johan Bruyneel en Lance Armstrong. We leven onszelf te pletter en zijn daar doorgaans nog fier op ook. Sport is de spiegel van een maatschappij die er uitziet als een doldraaiende pletwals.

20 oktober
Ben ik dan zoveel beter? Uit een gedicht van Charles Baudelaire:

Ik ben het mes en ook de snede!
Ik ben de wang, de hand die slaat!
De beul en wie de pijn doorstaat,
het rad en de gebroken leden.

Ik ben die prutser die na een uur lopen/stappen voelt dat het niet gaat die dag en die, in reactie daarop, zichzelf nog verder van huis stuurt om 2u15 later uitgeput en door twijfel bevangen thuis te komen. Die een dag nadien naar zijn ouders fietst, tuk op de gebruikelijke omwegen, en die opnieuw met een zeer slecht gevoel zijn zetel vindt. Die de daaropvolgende nacht hooguit twee uur slaapt. De volgende nacht hetzelfde. Dag daarop ziek. Dwang dwang dwang. Vermoeide individuen in een vermoeide samenleving.

29 oktober
Als een sportprutser ziek is, is zij/hij dubbel ziek. De tiende dag zonder sport. Wat een ellende. De wereld weegt weer zwaar. Het leven lijkt geen vluchtwegen meer te kennen. *Body* en *mind* staan met dezelfde lekke band aan de kant.

Minder dan drie weken voor de marathon van Kasterlee wordt me duidelijk dat het niet zal kunnen. Wat doet een sportessayist dan: een nieuw probeersel bedenken. Voorjaar 2013: de 1000 km van *Kom op tegen Kanker* en eindelijk eens naar de Mont Ventoux. (We negeren het gegiechel van mijn weegschaal. De trut.)

Triumpf des Geistes

WINTER 2012-2013

Ik vraag het me gewoon maar af. Zeker wil ik niet neer-
kijken. Niet op zuipende, scheldwoorden boerende vel-
dritkijkers. Niet op voetbaltribunebezetters die hun
agressie ternauwernood de baas zijn. Niet op sportwroe-
ters die hun tegenstanders als levende schietschijf be-
loeren. Nee, ik kijk daar niet op neer. Met verwondering,
soms verbazing, bijwijlen verbijstering sla ik het gade.
Maar toch. Ik vraag het me af: waar is hun zin voor
esthetiek?

Ik geef toe. Mijn ergernis werd gewekt door een affi-
che voor een veldritevenement. Bovenaan prijkte het
beeld van een naarstig doende, afgetraind ogende cyclo-
crosser. Het onderste deel van de foto toonde een in win-
terkleren en veel te uitbundig wintervet getorste man,
armen wijd open. Het bier gutste hemelwaarts uit een
in de hand geperst plastic bekertje. Ik herinner mij niet
meer de exacte woorden, maar het kwam erop neer dat
beide figuren elk op hun manier 'leven voor hun sport'.

Ieder z'n vrijheid, ieder z'n blijheid. 't Zal wel. Maar
opnieuw: ik vraag het me af. Wat is er dan van de sport?
Welke plek krijgt dat massaconsumptieartikel dat sport
is geworden in onze maatschappij? Welke spiegel wordt
ons hier voorgehouden? *Two Cultures Revisited*: één van
afgetrainde atleten, een andere van gezondheidsanalfa-

beten. Lallend. Brallend. Kwallend. (Ja ja, ik weet wel dat dit woord niet bestaat.)

Genoeg ergernis. Nog één vraagje. Zouden zij weten dat sport ook wel als kunst kan worden gezien? Kunst, die andere bijzaak van het leven? Het léven? Welk leven? Misschien het complex menselijke. Getuigend van respect voor al het andere. En van zin voor schoonheid. Van de ander niet op te vreten. Van de rustige blik. De blik die opzuigt. Die oog heeft voor voltooiing. Streeft naar perfectie. Het sublieme misschien, dat fenomeen van zowel grootse pijn als grootse vreugde. Beide in één klap gevat.

Ik daag mezelf uit en probeer hiervan beelden te vatten zonder in nostalgisch gemijmer te vervallen. Dat ligt moeilijk, ervaar ik al meteen.

Ik denk aan Jan Mulder. Ik denk aan hem met de verplichtende beperking dat de beelden in zwart-wit zijn. Ik zie hoe de bal bij hem een penseel wordt. Mulder schilderde op gras. Verliet hij zijn door tribunes omgorde atelier, dan sprak de penseelvoetballer scherp, kritisch, intelligent. Nog schrijft en praat hij zo. Voetbalkunstenaar. Levenskunstenaar.

Emiel Puttemans op de Heizel, 20 september 1972. Vijf kilometer in 13.13. Het mooiste wereldrecordcijfer ooit. Ik was erbij, als twaalfjarige jongen. Over de balustrade klimmen mocht nog. Ik viel met mijn knie op de rand van een drempel. Drie weken gekwetst. Een mens moet al eens iets over hebben voor een wereldrecord. Als het maar mooi was. (Zoekt u gerust eens op wat er die ene avond nog gepresteerd werd. Tips: Gaston Roelants, Willy Polleunis.)

Waar ik nog aan denk. Aan Eddy Merckx. Meer Merckx in mijn slaapkamer toen dan behangpapier. Maar dat is me nu te makkelijk. Frank Vandenbroucke dan maar. Kunst heeft godenkinderen nodig met een rafelige rand. Luik-Bastenaken-Luik, 1999. Hoe hij Bartoli terugpakte op La Redoute. Veel te grote molen. Ik vind dat die hoe dan ook mooier oogt. Koffiemolentjes staan beter in de keuken. Dan Sart-Tilman. De Nederlandse driekleur van Boogerd knakt onder een door Franse financiën en ongetwijfeld ook anderszins ondersteunde Waalse Haan. Wat daar op het podium te zien viel, symboliseert die forse omwenteling in de sport. Vandenbroucke, witgeverfde haren, achterover gehouden door een rode bril. De kleuren van de financier. Kleurtjes met bijbehorende verdachte geurtjes. Sport is van haar ethische dimensie af. Bevrijd of beroofd: u mag zelf kiezen. Sport heeft voor de esthetiek gekozen.

Georg Friedrich Wilhelm Hegel, Duits filosoof die rond de overgang van achttiende naar negentiende eeuw de westerse filosofie een nog lang nazinderende klank gaf. Karl Marx las hem ondersteboven en meende zo het verdere verloop van de geschiedenis voor eens en voor altijd te kunnen uittekenen. Ik wil maar zeggen: grote jongen, die Hegel. Wat zei die man over sport? Hij prees de Griekse Olympische Spelen, de oerversie van de Coca-Cola-kermis van tegenwoordig, als een demonstratie van vrijheid. Klinkt niet slecht. Maar dan: die vrijheid benutten we om het lichaam te transformeren in een orgaan van de geest. We denken nu spontaan aan iemand als Usain Bolt.

Een wat afgezwakte versie van Hegels *Triumpf des Geistes* (niet zijn woorden, maar allee) vinden we in die soms nog te horen kreet dat sport dient om het karakter te harden. Kent u de basketspeler Dennis Rodman en zijn boek *Bad as I Wanna Be?*

Wat is dat trouwens, 'het karakter harden'?

Natuurlijk ga ik hier ontzettend kort door de bocht en valt er een voltallig peloton aan tegenvoorbeelden te bedenken. Ik wil hier een historische shift proberen te schetsen. Een verschuiving van sport die ethische connotaties had, naar sport die vooral esthetisch wil zijn. Het lichaam heeft eigen rechten gekregen. En het wil mooi zijn. Esthetisch aanspreken.

Van esthetiek naar kunst vergt slechts een kleine stap. Zouden we dat wagen, sport kunst noemen? Binnen de academische sferen waarin ik doorgaans vertoef, die van de Letteren en de Wijsbegeerte en de Kunst, moet je er niet mee komen aandraven. Toch leer ik daar dat kunst geen vaste definitie verdraagt. De grenzen tussen kunsten onderling vervagen sowieso. En ook die tussen kunst en leven. De esthetisering van de sport is slechts een luikje van een veel algemenere tendens: overal worden wij aangesproken op onze hang naar esthetische genoegens en geneugten. En wie trekt nog de grens tussen zogeheten 'hogere' en 'lagere' kunst?

Ik merk dat mijn bocht hier hoe dan ook te kort is om

dit alles nog wat steviger te onderbouwen. Snel slot-sprintje: natuurlijk is sport geen kunst in de enge bete-kenis van het woord. Maar net als kunst is sport wel een instrument van de esthetiek geworden. Dat woord komt van het Griekse *aisthèsis*, wat verwijst naar ons vermogen om te ervaren en waar te nemen. Als complexe wezens. Wezens die lichaam zijn én geest. En die deze twee elkaar onderling laten bevruchten en dus dat lichaam ook res-pecteren. Het niet leegplukken. Bijvoorbeeld door het vol te stoppen. Of dat van anderen te schaden. Een esthetische sport is voor mij een propere sport.

Waarbij ik alleen maar tot deze slotconclusie kan komen: sportesthetiek draagt dus ook een ethische reflex in zich.

Nooit eindigen

Ieder heeft zo haar of zijn redenen om aan sport te doen. Voor mezelf is er één reden die in onmiddellijk verband staat met mijn activiteiten als filosoof: sport inspireert. Fietsen, hardlopen, wandelen, het kietelt aan mijn brein. Dat brein reageert dan vaak heel welwillend door me ideetjes toe te sturen. Zelden zijn die waardeloos. Het lijf lijkt doorheen een aangehouden inspanning een wijsheid en creativiteit op te wekken die ik vaak in termen van roes omschrijf.

Er is meer. Het lijf staat uiteraard niet op zich. Het bevindt zich in een omgeving en wordt daardoor gestemd. Dat kan goed uitpakken, maar ook slecht. Denk aan het verschil tussen jachtig gedoe op het werk en de liefkoosbare rust bij een boswandeling. De manier waarop we lijfelijk antwoorden op een omgeving, zegt ook iets over onze manier van denken en handelen op dat ene bepaalde moment. In een agressief milieu gaat niemand de rust, de vreugde en de vrede uitstralen die we eerder in verband brengen met ons wandelbos of met het ontzagwekkende van een Alpenwandeling.

Enigszins hectisch arriveer ik half februari in het Indonesische Yogyakarta, waar ik enkele maanden als gastprofessor fungeer aan de Gadah Madja-universiteit. De eerste dag moet mijn gezicht er beteuterd hebben uitgezien. Yogyakarta is een gigantisch grote stad. Geen spinnenweb is complexer dan het stratenplan. Het aantal bromfietsers is er constant groter dan het aantal fietsers tijdens de dagen van de Ronde van Vlaanderen in Oudenaarde en omstreken. Fiets- en voetpaden zijn een onbekend fenomeen. Als voetganger loop je tussen de bromfietsers. De eerste dag erger ik mij aan het constante getoeter. De tweede dag begrijp ik dat als ze dit niet zouden doen, het fenomeen 'voetganger' al snel onder het predicaat 'uitstervend' zou ressorteren. De dagen nadien begin ik de chaos en de drukte fijn te vinden. Eigenlijk gaat het om nonchalance en ongedwongenheid. De drukte is hier vriendelijk, zoals nagenoeg alle bewoners die je ontmoet.

En er is gelukkig het zwembad bij mijn *guesthouse*. Intussen zit ik aan twee zwemtrainingen per dag. Aan de rand van 'mijn' zwembad staat een Boeddhabeeld. Ik trek mijn baantjes en kom tot rust. Gestemd door een omgeving. Zwemmend overschouw ik mijn leven van de voorbije jaren. Dat gaat dan vanzelfsprekend ook over Hilde, mijn overleden geliefde. Onder toezicht van Boeddha, de badmeester, borrelt de volgende gedachtestroom in mij op.

Na alle verdriet, de radeloosheid, boosheid soms, na het verwerken dat nooit af zal zijn, na de tranen, de moedeloosheid, de pijn van het niet kunnen loslaten, na dat alles wil ik het nu over iets anders hebben. Ik wil vertellen over vreugde en geluk. Over aanwezigheid die voor niets zal wijken. Zelfs niet voor de dood. Ik wil vertellen over de schoonheid van een laatste levensjaar en over het voorrecht dat zeer intens en zeer intiem te hebben mogen meemaken.

Nu pas, ruim anderhalf jaar na Hilde's dood, ben ik klaar om een andere dimensie van dat laatste jaar met haar onder woorden te brengen. Nu pas kan ik zeggen dat dit het mooiste jaar uit onze negen jaar durende relatie was. Tot dusver heb ik moeten wachten om te kunnen schrijven over het ontdekken van liefde op een manier die ik voorheen niet eens kon bevroeden. De liefde voor een vrouw die niet meer zal genezen. De tederheid die een wegkwijnend lichaam oproept. Het idee in zekere zin samen te sterven. Het idee dat er op een bepaalde manier een leven is na de dood. Een voort-leven. Als een dialoog die niet kan ophouden, zelfs als die niet meer lichamelijk verankerd is.

Toen we in 2010 terugkwamen van een week trekking door het Bulgaarse Rodope-gebergte, had Hilde pijn aan haar rug. Ik ook. We dachten: dat krijg je dan als vijftigers en we wandelden de pijn naar de achtergrond.

De harde plek in haar borst was enkele maanden eerder niet herkend als kwaadaardig. Het zou kort nadien dodelijk blijken. *Mastitis carcinomatosa* heet deze vorm van borstkanker. Zeldzaam, erg agressief. Drie weken na onze trektocht bleek op twee na elke van haar ruggenwervels aangetast. Van de nek tot het bekken zaten zwarte vlekken. Doodsvlekken. Genezen kon niet meer.

Wat Hilde tekent: twee weken na dat nauwelijks

verhulde doodvonnis trok ze op haar eentje naar Pula, Kroatië. Vliegen tot Triëst, dan verder met de auto. Ze zou er proberen een centrum op te starten. Muziek, kunst, dialoog, rust zouden er centraal staan. Op dat laatste na was dit ook haar leven geweest. Nog eens drie weken later begon een niet meer eindigende ziekenhuisgang. Als haar rug niet bestraald werd, zou spoedig verlamming volgen. Die bleef uit tot haar laatste levensweek, slechts tien maand later. Die rug zou niet eerder breken. Hilde zou niet breken. Nooit heeft zij geklaagd. Boos was ze vooral als iemand háár wou beklagen. Haar filosofie: van dag tot dag gaan. Nemen wat is, niet denken aan wat niet meer is of wat niet meer zal zijn.

In het ziekenhuis hielp ze een verpleegster in opleiding bij het schrijven van een eindwerk. Onderwerp: humor in de zorg. Andere verpleegsters kwamen bij haar aan bed zitten als ze een dipje hadden. Ook daar bleef ze coach en mentor. Dat was haar passie, haar beroep, vooral: haar manier van zijn. Een keer drong ze erop aan een jongere collega van mij te zien. Ze wou hem vooral duidelijk maken dat een pijnlijke echtscheiding – wat hij toen meemaakte – geen einde is, maar een begin.

Zij bleef beginnen.

Ik vertel dit verhaal omdat het veel te weinig verteld wordt. Veel liever hebben we het over genezen na een moedig gevecht. We zien de kracht van wie wil blijven leven. Ik vind dat schitterend. Maar er is ook de kracht van wie weet niet lang meer te zullen leven. De kracht van wie 'opgegeven' wordt, maar zelf dat woord haat.

'Ik zal je nooit verlaten', zei ze op een morgen heel kwaad. 'Nooit laat ik je alleen!' Ik had net aan de verpleegster verteld dat Hilde enkele minuten eerder had gesproken over een afscheid. Ze kon niet goed meer lezen, e-mails beantwoorden lukte niet meer in de toestand die een oncologe toen omschreef als die van een uitdovende kaars. Zie dat beeld: een kaars die dooft, dat wil zeggen: een kaars die niet breekt.

Geneeskunde ging voor Hilde dat laatste jaar niet meer om genezen. Geneeskunde werd de kunst van het verzachten. Van helpen lijden. Van leed dempen. Van leefbaar helpen sterven.

Hilde hielp mij. Verdriet kon ze maar moeilijk verdragen. Dat leek te snel iets definitiefs te willen zeggen. Ze wou niets afsluiten. Het positieve blijven zien. Na de eerste chemokuur: hoe ze gelukkig zat te zijn op het met livemuziek versierde feest voor haar vijftigste verjaardag, op 19 maart 2011. Hoe ze zei niet ziek te zijn toen we nog eens naar de bioscoop konden. De tweede chemo die niet aansloeg. 'Maar ik ben er nog!' De derde die het evenmin deed. Ze wist dat het de laatste was.

We trouwden op 1 juli in het stadhuis van Dendermonde. Ze straalde. Liep gezwind over de Grote Markt. Haar stok nonchalant hanterend alsof die er modieus bij hoorde. Ze had stijl. Nooit is die weggegaan. Zelfs niet toen ze opgebaard lag. Ze leek te glimlachen: 'Jullie denken dat je mij te pakken had. Wel, jullie hebben het mis.' Ze tartte het lot. Negeerde het. Dat was geen verhaal voor haar.

Het verhaal dat ik hier nu vertel is vooral het hare. Zonder haar inspiratie was het er nooit gekomen. Ik pluk woorden die zij mij naliet.

Met Hilde heb ik meegeleefd. Iets in mij is meegestorven. Veel van haar leeft voort in mij. Op een bepaalde manier heeft zij mij leven bijgegeven: een ervaring die mij verrijkt heeft. Een andere troost aanvaard ik niet. Het is de enige troost. Het is de mooiste troost. De troost van nooit alleen zijn. Dat was wat ze bedoelde die morgen in het ziekenhuis: 'Nooit laat ik je alleen!' Na bijna twee jaar heb ik het eindelijk begrepen. Nu kan ik dit verhaal vertellen, gestemd door de omgeving van het zwembad.

Het nieuwe zwart
MAART 2014

Ruim een jaar nadat ik voorgaand stukje schreef, kan ik enkel besluiten dat die ervaring in Yogyakarta een keerpunt is geweest in mijn rouwproces. Waarom dat zo was, kon ik tot voor kort moeilijk duiden. Goed, er was die rustgevende harmonieuze toestand van zwemmen onder een heerlijke zon, van het verblijf in een verafgelegen land dat mij had weggehaald uit de soms te vertrouwde omgeving waarin veel zaken mij met de neus op pijnlijke feiten bleven drukken. Maar was dit alles? Wat was de ruimere betekenis van dit verhaal, het verhaal waartoe Hilde mij had geïnspireerd en dat beantwoordde aan haar wens van hoe ik verder zou gaan na haar dood?

Bij filosofen raak je zelden of nooit wijzer als het gaat over iets als een rouwproces. Zelfs het fenomeen van de dood heeft niet zo vaak op filosofische belangstelling kunnen rekenen, althans niet als het gaat om de concrete ervaring een geliefde te verliezen.

Na wat zoeken kom ik uit bij een boek van de psychoanalyticus Darian Leader, *Het nieuwe zwart*. Hij behandelt er fenomenen als rouw, melancholie en depressie. Eén punt in het boek trekt bijzonder mijn aandacht. Leader is het niet eens met een in de populaire psychologie terug te vinden idee: dat rouw gelijk zou staan aan het te boven komen van een verlies. Een verlies komen we volgens hem nooit te boven. Wel kunnen we het integreren in ons leven. Soms lukt dat goed, maar het is zelden makkelijk. De aansporing om je eroverheen te zetten, vindt Leader onzinnig. De pijnlijke gebeurtenis kan enkel een te integreren deel van je levensverhaal worden:

In de populaire psychologie wordt rouwen vaak gelijkgesteld aan het te boven komen van een verlies. Maar komen we onze verliezen ooit te boven? Is het niet eerder zo dat we ze op allerlei manieren integreren in ons leven, soms met succes, soms met rampzalige gevolgen, maar nooit pijnloos?

Dat herken ik vanuit de filosofie, meer bepaald vanuit de hermeneutiek, zeg maar de leer van het verstaan. Aan mijn studenten zeg ik vaak dat ons leven lijkt op een wandeling met een rugzak. We zoeken niet enkel naar betekenis, maar betekenis hecht zich ook aan ons, vaak ongevraagd en ongewild. Elke nieuwe ervaring is als een gewichtje dat erbij wordt gestopt in onze rugzak. Dat zal voortaan onze wandeling mee bepalen. Nieuwe ervaringen geven een kleur aan alle daaropvolgende. Zo ook de ervaring van verlies. Rouw is in die zin een soort hermeneutiek in de praktijk: hoe versta ik dat pijnlijke gebeuren binnen het grotere geheel van mijn levensverhaal? Hoe zal het mijn volgende ervaringen kleur geven?

Ik meen dat Darian Leader dit ook bedoelt als hij het heeft over 'de tweede dood' van een overledene. Naast het biologische overlijden is er ook het symbolische overlijden, zegt Leader. Je plaatst het overlijden dan in een andere symbolische ruimte. In zekere zin gaat het om een vorm van afstand nemen. Die afstand heeft de rouwende nodig om de draad van het eigen leven opnieuw te kunnen oppakken. In diverse culturen zijn daar allerhande rituelen voor bedacht, uiteenlopend van het meegeven van geschenken in de kist tot het veranderen van namen van kinderen. Dit alles om de genoemde afstand te kunnen opbouwen, aldus Leader:

> Het doden van de overledenen is een manier om je banden met hen losser te maken en hen in een andere, symbolische ruimte te plaatsen. Daarmee ontstaat de mogelijkheid nieuwe banden aan te gaan met de levenden, al verschilt de manier waarop per individu. [...] Er ontstaat echter een probleem wanneer een sterke loyaliteit aan de overledene je verhindert je verbondenheid met de levenden uit te drukken.

Ik besef dat dit citaat hard kan klinken. Is het niet eerder de bedoeling de geliefde altijd dicht bij ons te houden? Toch niet, zo lees ik bij Leader. Net dit zou leiden tot een verlammende melancholie, tot het onvermogen om verder te gaan. In mijn geval: dus net tot datgene wat Hilde wou voorkomen.

Een ander aspect waar Leader op wijst treft me evenzeer en is erg herkenbaar. Hierboven schreef ik al dat onze identiteit altijd door en door dialogisch is opgebouwd. Hoe de significante ander mij ziet, bepaalt in grote mate, soms zelfs helemaal, hoe ik mezelf zie. Met Leader kan ik daar dan ook de conclusie aan vastknopen dat rouw om de overledene ook rouw om zichzelf inhoudt. Elders in dit boek schrijf ik dat ik in zekere zin meegestorven ben. Dat lijkt een wat gechargeerde uitspraak, maar ik kan die goed duiden vanuit Leaders denken en vanuit dat dialogische aspect van onze identiteit. In de rouw betrek ik ook dat deel van mezelf, zoals het betekenis kreeg vanuit mijn dialoog met de betreurde ander. Verder gaan in het leven betekent dan ook je verhaal verder vertellen zonder die ene bepaalde significante gesprekspartner. Je moet jezelf in zekere zin herschrijven, een nieuwe dialoog aangaan.

Dat is volgens Darian Leader de reden waarom een rouwproces zo langdurig en zo pijnlijk kan zijn: je moet ook een deel van jezelf opgeven.

Als wij een dierbare verliezen, verliezen we daarmee een deel van onszelf. En dat verlies vereist onze instemming. We kunnen onszelf wel voorhouden dat we een verlies aanvaard hebben, maar er is een fundamenteel verschil tussen berusting en oprechte instemming.

Dit gaat om veel meer dan berusting. Ik zou het een actieve aanvaarding noemen. Wellicht is dit wat mij overkomen is tijdens die lange zwembeurt in Yogyakarta.

Heel vaak krijg ik nieuwe inzichten tijdens het sporten. Dit is wel een erg treffend voorbeeld hiervan.

Uiteraard betekent dit niet dat mijn rugzakje nu bevrijd is van het dragen van die pijnlijke ervaring. Enkel heeft die ervaring een nieuwe symbolische plek gekregen. In die andere symbolische ruimte leeft Hilde verder. De dialoog stopt dus niet, maar verloopt anders. Zoals zij het had gewild.

Alles wat nu nog komen gaat in mijn leven, zal gekleurd zijn door die ervaring tijdens mijn Indonesische zwempartij. De toon is anders geworden. Zelf blijf ik echter zien hoe Hilde mee aan het woord blijft. Van wandelen tot liefde voor de natuur, ze blijft aanwezig in hoe ik mij in de wereld ophoud.

Let's go wild

Burggraaf en ex-premier Mark Eyskens schreef eens zeer terecht in *Knack*: de recente debatten over onderwijshervorming hadden ook wel eens enig licht mogen laten schijnen op het belang van vakken als geschiedenis en filosofie in het secundair onderwijs. Daar zou leerlingen min of meer diets moeten worden gemaakt wat de samenhang is van alles. Ze zouden er andere culturen leren kennen of leren zien dat er – pakweg – op het moment dat Godfried van Bouillon de eerste kruistocht richting Jeruzalem leidde, ergens in China misschien ook wel een keizer bezig was met wereldveranderende dingen. Het zou die twaalf- tot achttienjarigen leren het eigen standpunt te relativeren. Het zou hen leren anders te kijken. Filosofen doen dat wellicht nog iets nadrukkelijker dan historici. Filosofie leert individuen met een tweede oog te kijken: dat dingen ook wel anders kunnen zijn en dat zaken die als evident worden beschouwd dat misschien niet zijn.

In de vakantieperiode waarin ik dit stuk schrijf, zou ik graag het belang van de filosofie voor onze sportexploten in het al dan niet gewillige zonnetje willen zetten. Die verschrikkelijk omvattende vraag 'Moeder, waarom leven wij?' zal in deze zomerse sferen nu herleid worden tot een fysieke variant: 'Moeder, waarom sporten wij?'

Dat tweede oog van de filosoof levert al meteen een andersoortig antwoord op. Dat luidt: we doen aan sport om een vollediger mens te worden. En hoe worden wij een vollediger mens? Antwoord: door wat wilder te worden. Wild worden? In de (Amerikaanse) negentiende eeuw kwam al een discussie op gang over de verhouding tussen enerzijds de natuur in ons en anderzijds wat de cultuur van ons verwacht. Zo maakte de befaamde essayist en denker Ralph Waldo Emerson zich zorgen over de neveneffecten van nieuwe uitvindingen:

De geciviliseerde mens heeft koetsen gebouwd, maar lijkt zijn eigen voeten verloren te hebben. We kunnen de vraag stellen of die machinerie uiteindelijk niet belastend is geworden en of al die verfijning ons niet heeft beroofd van energie.

Emersons geestverwant Henry David Thoreau had een gelijkaardige bekommernis. Bij hem was die zelfs zo nijpend dat hij zich twee jaar lang in een hut terugtrok bij Walden Pond. Hij schreef er een boek over waarin bijvoorbeeld te lezen staat dat de mens een beetje overgeciviliseerd is geraakt en daardoor de natuur in zich laat verkommeren. Wandelen was Thoreau's ding. Met die wandelingen en het onmiddellijke contact met de natuur hoopte hij 's mensen innerlijke wildheid opnieuw ruimte te geven. Met die wildheid zou de mens zich, in al zijn complexiteit, veel vollediger kunnen ontwikkelen dan door zich louter te onderwerpen aan de imperatieven van een vertechniseerde en gebureaucratiseerde samenleving.

We hebben het tonicum van de wildernis nodig...
We kunnen niet genoeg natuur krijgen.

Beide Amerikaanse literaire grootheden, behorend tot de club van de zogeheten transcendentalisten, zouden zich nu, ruim honderdvijftig jaar later, bevreemd de ogen uitwrijven. Disciplinering en toezicht allerhande geven ons dagelijks leven intussen nog veel meer kleur. Grijs met name. Daarnaast zouden zij zien dat mensen meer en meer aangetrokken worden door evenementen waarin ze de wildheid in zich nog eens ongestraft de vrije teugel kunnen geven. We lopen graag marathons, we gaan als kannibalen de Ventoux te lijf. (Een jaarlijks evenement van Sporta, de grootste Vlaamse organisatie voor amateursporters, heet *Le Cannibale*, wat ook de bijnaam was van Eddy Merckx.) De redenen waarom wij dat doen zullen vaak anders luiden (vermageren, ontspannen, grenzen verleggen), maar ik denk dat dit aspect van een losgelaten wildheid onbewust altijd ergens meespeelt.

Als we de gedachten van Thoreau over wandelen vertalen naar beweging en sport in ruimere zin, dan zouden we mogen concluderen dat die activiteiten bijdragen aan ons humaner worden, aan zelfontdekking, aan zelfvernieuwing. Volgens Thoreau moeten we een zogeheten *border life* leiden. Dat bevindt zich ergens tussen een overgeciviliseerde, gemechaniseerde existentie en een wat minder geciviliseerd, animaal bestaan. Ik denk dat Thoreau iets banger was voor het overgeciviliseerde dan voor het animale bestaan. Ik denk ook dat wij nu vooral bang zijn voor het tweede.

Natuurlijk zouden Thoreau en Emerson niet hebben gepleit voor een losgeslagen degeneratie in de richting van een compleet ongetemde natuur. Ze hadden een probleem met overcivilisatie, niet met civilisatie. Tenslotte waren het heren van intellectuele stand. Wel wilden zij voorkomen dat de volledige onderwerping van de mens aan het mechanische bestaan ons tot automaten zou herleiden en van alle spontaniteit zou beroven. Thoreau zei al in de late negentiende eeuw dat de werkmens voor niets anders meer tijd leek te hebben dan voor het idee een machine te zijn. Die machine hebben we nu maar te zien als ons technologische, gesofisticeerde ik.

Thoreau pleitte daarentegen voor een dynamisch, vrij en energetisch bestaan. Dat wilde, ongetemde aspect van ons mens-zijn zou uiteindelijk moeten leiden tot meer humanisering. Hij vond dat we er al aardig in slaagden steeds betere huizen te bouwen, maar dat de mensen die die huizen bewoonden zelf er niet noodzakelijk op vooruit waren gegaan. Zijn queeste ging uiteindelijk uit naar een intrinsiek betekenisvol leven. Lees dus: een leven dat zich enkel afspeelt in machinale en mechanistische sfeer is een leven dat zichzelf beknot. Sport- en lichaamscultuur zou in die zin weerstand bieden aan overcivilisatie. Ik heb er geen idee van of er in die tijd al over 'beschavingsziekten' werd gesproken, maar uiteindelijk gaat het daar wel over. Een lijf dat niet af en toe wordt losgelaten, wordt ziek.

Sport vormt voor mijn part het terrein waar dat *border life* van Thoreau aan de slag kan. Sport krijgt zo een humaniserende functie. We leren er om te gaan met risico's en met spontaniteit, maar altijd binnen de context van regels, lees: civilisatie. Sport scherpt ook onze creativiteit aan. Er zijn regels, maar die regels krijgen een eigen toepassing. Met een bal blijf je binnen de lijnen, maar hoe je dat doet, heeft met eigen vindingrijkheid te maken. Sport leidt tot meer zelfkennis. De manier waarop je jezelf tegenkomt op twee kilometer van de top van de Kale Berg, zal de dialoog met je eigenste zelf een ander kleurtje geven. Veel meer dan enkel grijs. Die dialoog zou dan kunnen leiden tot de vraag hoe je verder knutselt aan jezelf. Hoe je door beter te sporten ook meer mens wordt. Completer, veelzijdiger. En ja: wilder.

In die zin is de filosofie belangrijk voor sport: we leren de samenhang te zien tussen sport en andere aspecten van ons leven. We leren er met een tweede oog naar te kijken. We zien dan dat het om veel meer gaat dan presteren. Of om sneller en hoger en beter dan anderen. Het gaat om humanisering. Zou Mark Eyskens dat ook bedoeld hebben?

Zo weinig mogelijk zitten

NAJAAR 2013

Silvaplana, Zwitserland, begin september 2013. Ik noem het een werkvakantie. Op een morgen vertrek ik beladen met een niet al te zware rugzak richting Sils Maria. Eerst zijn er de vlakke, onverharde wegen langs het Silvaplana-meer. Af en toe snellen atleten mij voorbij die, als ik het goed inschat, minstens tot een internationale subtop moeten behoren. Sankt-Moritz, geliefd als stageplek, is vlakbij.

Halverwege de weg naar Sils sla ik linksaf, de pijl volgend naar de berg Piz Surlej, met zijn zowat 3200 meter de hoogste knaap hier in de onmiddellijke omgeving. Ik stap traag. Af en toe werp ik een blik op het meer dat alsmaar kleiner lijkt te worden. Na ongeveer een uur begint het te regenen. Althans: bij mij regent het ideeën. 's Morgens heb ik het plan opgevat als kersverse vakgroepvoorzitter onze opleiding filosofie wat meer *Schwung* te geven. Ik zal u hier niet lastigvallen met wat ik al klimmende zoal bedenk, alleen de laatste ideeëndruppel onthoud ik u niet. Kort voordat ik die dag het hoogste punt bereik, weet ik zeker wat filosofiestudenten nodig hebben: een wandelstage in de bergen. En die gaan we hier organiseren.

Voor de afdaling kies ik het pad richting Sils Maria. Daar eindigt het pad ergens achter het Nietzsche-Haus. Friedrich Nietzsche, een van de grootste filosofen ooit, verbleef hier tussen 1881 en 1888 meerdere weken per jaar. Hem zoek ik hier. Ik wil net als hij voelen hoe urenlange bergwandelingen het denken prikkelden, hoe hij van daaruit als een van de eersten tot het idee van een 'lijfelijke rede' kwam: het lichaam dat zelf denkt, voorafgaand aan de ratio.

De eerste voormiddag van mijn verblijf word ik al gevat door dat zalige gevoel van hoe een omgeving je meteen in een andere stemming brengt. Het rustig kabbelende, glasheldere water, het geruis van bomen in een dal en het uitzicht op bergtoppen van meer dan drieduizend meter maken mij gelukkig. Het soort geluk dat je hele lijf lijkt te komen omhelzen.

'Zo weinig mogelijk zitten', bezwoer Nietzsche zijn lezers al meer dan een eeuw geleden. Gezegd wordt dat hij een wankele gezondheid had. Als ik lees dat hij daar in Sils Maria zes tot tien uur per dag op pad was, dan vraag ik mij af op welke manier die gezondheid dan wel wankel mag worden genoemd. Tenzij we aannemen dat hij toen al sporen vertoonde van de waanzin die hem later te pakken zou krijgen, tot bij zijn dood in 1900.

'Zo weinig mogelijk zitten', schreef Nietzsche dus, en daar liet hij deze woorden op volgen:

geen enkele gedachte geloof schenken die niet in de vrije lucht geboren is en bij vrije beweging, – waarin niet ook de spieren feestvieren. [...] Het zitvlees – ik heb het al eens eerder gezegd – is de eigenlijke zonde tegen de heilige geest.

Het citaat valt te lezen in *Ecce homo*, een boek uit 1888 waarin Nietzsche terugblikte op eigen werk en leven. Het was zijn laatste boek voordat hij definitief in de duistere nevelen van de waanzin verdween. Nietzsche meende dat hij pas honderd jaar na zijn dood zou begrepen worden. Dat is echter niet de reden waarom ik dat idee – zo weinig mogelijk zitten – nu nog en zelfs nu meer dan ooit actueel vind.

Ik herlees deze en andere teksten van Nietzsche tijdens en na mijn verblijf in Sils Maria. Zijn urenlange wandelingen in het hooggebergte daar leverden hem de zuurstof die hij nodig had om zijn bijwijlen zeer verheven gedachten te ontwikkelen. Wandelen was werken voor hem. Denkwerk. 'Mijn voet schrijflustig als geen een', zo schreef hij in *De vrolijke wetenschap*. Denken doen we niet door ons uit de wereld terug te trekken. Een denken zonder lichaam bestaat niet. Nietzsche wist dat hij zijn tijd ver vooruit was. Hij heeft gelijk gekregen.

Recente bevindingen in de neuropsychologie en -filosofie en in het denken over de verhouding tussen geest en lichaam bevestigen het inmiddels zeer overtuigend: de mens is primair lichamelijk in de wereld. Hoe wij omgaan met de wereld waarin wij leven en waarin wij met allerhande problemen geconfronteerd worden, krijgt eerst en vooral een oriëntatie vanuit een lichamelijke gesitueerdheid. Een omgeving 'stemt' ons lichaam. En het lichaam 'stemt' de geest.

Wat Nietzsche's denken revolutionair maakt, is het inzicht dat betekenis ontstaat vanuit onze vleselijke band met het leven en de lijfelijke voorwaarden van dat leven. We zijn geboren als vleselijke wezens en het is doorheen onze lijfelijke waarneming en ervaring, onze bewegingen, emoties en gevoelens dat betekenis mogelijk wordt. Aan ons nu om andere variaties te bedenken op het befaamde dictum van René Descartes: 'Ik denk, dus ik ben.' Die uitspraak heeft onze westerse cultuur te veel getekend. Ons lichaam heeft te lang een tweederangsrol gespeeld.

Uiteraard zie ik verandering. Mieke Boeckx, bedenkster van Start to Run, zou een trofee voor levenslange sportverdiensten moeten krijgen. Alle Start to...-campagnes komen neer op een oproep anders te gaan leven. Dat is schitterend. Maar het is niet genoeg. Als cultuurfilosoof zal ik ervoor blijven pleiten dat ons begrip van sport meer en meer wordt opgerekt naar het veel ruimere begrip van een lichaamscultuur. Sport in clubs en fitnesscentra en tijdens allerhande weekendevenementen is fantastisch en tof en broodnodig. Maar ik zou graag dat muurtje neergehaald zien tussen sport en het gewone leven.

Eerder in dit boek vergeleek ik Brussel met Kopenhagen. In de Deense hoofdstad gebeurt een aanzienlijk groter deel van het woon-werkverkeer met de fiets dan met de auto. Zie dan Brussel. Ondanks het Villo!-project blijft de auto zich als dictator gedragen. Om het nog niet te hebben over de vaak stiefmoederlijke behandeling van wandelaars.

In een pas verschenen boek, Het morele brein, lees ik

over een experiment waarbij mensen een reeks profielen van anderen moeten beoordelen. Het experiment vindt de ene keer plaats in een groezelige ruimte met een on- aantrekkelijk en smoezelig bureau, en een andere keer in een luchtig en aangenaam vertrek. Het experiment toont dat de antwoorden die mensen geven in die nare ruimte, veel negatiever zijn dan de antwoorden die komen in het aangename vertrek. De omgeving brengt ons dus in een bepaalde stemming en die stemming stuurt al op voorhand onze manier van beoordelen. Ik kan me goed voorstellen dat bedrijven dit weten en er ook terdege rekening mee houden. Maar wanneer gaan politici dat doen? Wanneer leggen we het autoverkeer in onze steden plat en zetten we een fietskoning op de troon?

Gewoonte en groei

Ik lig wat in de knoop met mezelf. De vraag die mij al een tijdje tergt, luidt eigenlijk heel simpel: hoe wil ik verder met mijn sportieve leven? Maar vermits ik aan sport doe vanuit mijn professionele achtergrond als filosoof en vermits filosofen zich wel eens plegen onledig te houden met minder simpele vragen, zoals die naar hoe betekenis te geven aan je leven, krijgt het bovenstaande toch een stevige existentiële dimensie.

Een knoop krijg je door twee dingen zich te laten verstrengelen. Bij mij gaat dat om twee manieren van aan sport doen. De keuze tussen die twee lijkt mij op het eerste gezicht exclusief: of de ene of de andere. Twee oplossingen dienen zich dan aan. Ofwel maak je een keuze voor één van de twee, ofwel probeer je de twee te verzoenen en ze niet langer als elkaar uitsluitend te beschouwen. Hmm... Dat lijkt een nieuwe keuze: ofwel kiezen, ofwel niet kiezen. Ik heb de neiging te kiezen voor het niet kiezen. Dat is een paradox. Ik weet het. Filosofen verdienen daar geld mee.

Wat zijn nu die twee manieren van aan sport doen? De eerste heb ik uitvoerig beschreven in mijn boek *Sport als levenskunst*. Die levenskunst vond ik bij de oude Grieken. Centraal staat er de vraag naar het goede leven, en dat je dit bereikt door de eigen maat te zoeken. Individuen laten zich dan niet dirigeren door van buitenaf gedicteerde maatstaven en imperatieven. Ze proberen integendeel vanuit eigen ervaringen te zoeken naar wat voor hen de juiste of de beste maat is. Dat verbind ik graag met een kwalitatieve benadering. De kwaliteit van de sportbeleving primeert op de kwantiteit. Dát je een marathon hebt uitgelopen of de Mont Ventoux bent opgereden, is dan belangrijker dan hoe snel of hoe vaak je dat gedaan hebt. In de iets straffere versie daarvan zoek je naar de roes van het inspanningseffect. Die roes laat zich niet meten met chronometers of meetlinten. Die roes is de jouwe. Alleen de jouwe.

Een tweede stap in die levenskunstige benadering van het sporten zie ik in het multidimensionale aspect ervan. Het valt mij namelijk moeilijk me aan één sport te houden. In mijn boek *Wielrennen* heb ik dat mijn sportieve biseksualiteit genoemd: loopschoenen en koersfiets bezitten beide het vermogen mij te verleiden en tot extatische hoogtepunten te brengen. Waar mij dat zou brengen, vond ik niet zo belangrijk. Al liep ik wel al jaren rond met het onnozele idee dat ik ter gelegenheid van mijn vijftigste verjaardag iets groots zou doen. Groots was in mijn gedachtewereld een volledige triatlon of een ultraloop van honderd kilometer.

Achteraf gezien heb ik iets gedaan dat daar min of meer op lijkt. Toen ik in 2010, het jaar waarin ik vijftig werd, één van de vier ritten van 250 km binnen de 1000 km van *Kom op tegen Kanker* uitreed met een gemiddelde van 30 km/u, verwezenlijkte ik iets waar ik mezelf al twintig jaar niet meer toe in staat had geacht. Het was ook in die periode dat ik mijn boek over sport als levenskunst voltooide. Met andere woorden: mijn levenskunstige aanpak van het wielrennen had dan toch een niet te verwaarlozen prestatie opgeleverd.

Lichtjes melancholisch (die conditie heb ik sedertdien niet meer gehad) ben ik eens gaan kijken in mijn trainingsdagboek van toen. Meteen snap ik waarom ik me niet meer op dat niveau voel staan. Ik geef een voorbeeld. In de week van 1 tot 7 april 2010, zowat zes weken voor die 1000 km, heb ik zes fietstrainingen gedaan en vijf looptrainingen. De langste looptraining duurde twee uur en een minuut. De langste fietstraining ging over 'slechts' 2u30, maar dan wel nadat ik eerder die dag al een uur had hardgelopen. Ik schrik nu wel even. Kon ik dat echt? Bah, ja. Ben ik daar fier op? Ja! Mag toch, als je dat kan op je vijftigste.

Drie jaar en veel te veel rampspoed later kan ik wellicht geen uur meer lopen zonder pijnlijke toestanden achteraf. Twee uur fietsen lukt, maar ik heb toch graag dat de wind wat meezit. Vandaag binnen zes maand, op 30 mei 2014, doe ik opnieuw mee aan de 1000 km van *Kom op tegen Kanker* met een team van onze universiteit. En ik ga weer voor de volle rit van 250 km. Wat mij dus de knoop oplevert waarmee ik dit stuk begonnen ben. Die knoop *hoeft* er niet te zijn, besef ik nu. Net door mijn levenskunstige en 'biseksuele' aanpak heb ik daar in 2010 toch maar mooi de klus geklaard. Korte tijd nadien werd mijn geliefde ziek. Een jaar later is ze overleden. Fysiek en emotionele volgde een diepe put. Dat heeft zij nooit gewild. De conclusie is duidelijk: eind mei 2014 voltooi ik opnieuw die rit van 250 km. Voor haar. En voor mezelf zoals ze me liefst zag.

En ik zal daarbij niet blijven stilstaan. De filosofie van de sportprutser, zoals ik die eerder in dit boek heb verwoord, was ook te veel van dat: prutsen. Wie prutst is niet gefocust op een doel. Ik dacht dat zich richten op een doel te beperkend zou zijn en niet levenskunstig. Ik heb mij vergist. Dat doel valt ook te bereiken via het combineren van die twee lievelingssporten van mij. Wat mij te veel angst inboezemde, was dat ik zou vervallen in eenzijdigheid. Die is er toen duidelijk niet geweest.

De Amerikaanse pragmatistische filosoof John Dewey had het in zijn werk steeds weer over 'groei'. Groeien als mens. Hij zag filosofie als een vorm van educatie. En educatie dient groei na te streven, opgewassen te zijn tegen steeds nieuwe uitdagingen, tegen de complexiteit van het leven. Niet groeien is stilstaan. Wie stilstaat wordt voorbij gehold. Het merkwaardige is nu dat je om te groeien ook gewoontes nodig hebt. Een vast patroon van gedragingen die kunnen herhaald worden en die je nodig hebt als een opstapje naar iets hogers. Een gewoonte creëren is dus de fundering leggen voor groei. Alleen als je het gewoon bent geworden, valt het niet zwaar meer om zes fiets- en vijf looptrainingen in één week te bundelen.

Terwijl ik dit schrijf duikt een oud idee op voor een project waar ik eens een tijdlang over heb lopen fantaseren. Ik noem het *De Weg naar Zofingen*. Het moet een boek worden over hoe ik heb toegeleefd naar die uitdagende grootse duatlon in het Zwitserse stadje Zofingen: 10 km lopen, 150 km fietsen, 30 km lopen. Volgens mij is dat een schitterende manier om je vijfenvijftigste verjaardag te vieren. Van het boek is hiermee al meteen de eerste bladzijde geschreven.

Sporters zijn ratten

FEBRUARI 2014

Als we nu eens verder denken over de zin van het leven? Die niet geheel risicoloze onderneming pleeg ik wel vaker te ondernemen tijdens mijn fietstrainingen. Het decor waarin dat geestesgewriemel zich afspeelt, maakt daarbij graag deel uit van het scenario. Nogal expliciet. Een beetje opdringerig zelfs. Hoe dan ook niet in een bijrol. En altijd onvoorspelbaar. Vooraf geschreven scenario's horen hier niet. Slaan niet aan. Nooit. Gedachten knagen, kietelen, wringen, strelen, bijten, knauwen, snijden, botsen. Maar ze kloppen in alle betekenissen van dat woord. Zelfs in de betekenis die niet te rijmen lijkt met enkele van voorgaande werkwoorden. Ze kloppen omdat ze één zijn met een omgeving. Met mijn lijf. Met de ijskoud striemende wind van gisteren. Die ik uitspuwde. Recht in eigen gelaat. Beestenweer. Smerige sneeuwlagen in niet langer verleidelijke bochten. Staalblauwe lucht. Niet het blauw van hoogzomerdagen. IJsblauw. Blauw dat lippen tergt.

Een uur. Misschien iets meer. Dan de gloed. Een lijf dat ja zegt. Pak mij. Voer mij. Een blauw dat alsmaar uitnodigender oogt. Of is het uitdagender? Ik twijfel. Vervoering misschien? Na twee uur: extase. Ex-stase. Buiten-staan. Buiten jezelf. Verder dan jezelf. Daar waar pijn omslaat in genot.

Sporters zijn ratten.

Toen die zin zich onderweg liet meegraaien, was het nog bar en koud en onvriendelijk blauw. Natuurlijk kwam de zin niet zomaar uit die ene aarzelende wolk tuimelen. Ik had al wat filosofische bagage mee. Dit was niet zo'n onverhoeds idee dat zich om redenen die ik nog nooit heb begrepen, plots voordoet tijdens een fiets- of looptraining. Mijn tocht gisteren was bedoeld als een soort laboratoriumexperiment. Welk verhaal zou zich gaan schrijven? Dat verhaal kon alleen maar een antwoord zijn op de vraag die mij de dagen voordien had beziggehouden. Hoe komt het dat ideeën, gedachten, schrijfprikkels net dan, tijdens de sport, lijken vorm te krijgen? Waarom gaat het zweten en hijgen van de duurinspanning gepaard met inspiratievonken? Zelfs al levert dat een onaardige zin op ('Sporters zijn ratten').

Een van mijn grote inspiratoren, de reeds genoemde Amerikaanse pragmatistische filosoof John Dewey, schreef in zijn hoofdwerk *Art as Experience* (1934) dat als we iets willen begrijpen van de esthetische ervaring, we te rade moeten gaan bij de manier waarop dieren in hun omgeving vertoeven.

Dewey's denken kan gezien worden als een van de eerste consequente filosofische vertalingen van de evolutietheorie. In het pragmatisme van Dewey zijn wij mensen voortdurend naarstig op zoek naar een harmonieuze relatie met onze omgeving: we stemmen ons erop af. Hij trekt daar een conclusie uit die op z'n minst opmerkelijk mag worden genoemd: om de kiemen te kunnen vatten van de esthetische ervaring, moeten we gaan kijken naar het leven van dieren. 'Below the human scale', voegt hij daaraan toe. Wat wil zeggen: op dat niveau waar we nog niet rationeel aan de slag gaan. Eerder intuïtief, direct lijfelijk.

Als ik tijdens het fietsen met een onverwacht obstakel word geconfronteerd, dan grijp ik intuïtief naar de remmen. Ik scan een bocht en fiets en fietser voegen zich naar wat zich daar aandient. Wielrenner, fiets, omgeving: een eenheid met z'n drieën.

Mijn studenten kijken wel eens raar op als ik uit Dewey's *Art as Experience* citeer dat de activiteiten van honden, vossen of spreeuwen ons eraan kunnen herinneren wat eenheid van ervaring betekent, een eenheid die wij fragmenteren als werk arbeid wordt en als het denken ons weghaalt van de wereld. Onze gerationaliseerde manier van in-de-wereld-zijn heeft ons iets doen verliezen van de esthetica van het nauw verbonden zijn met de natuur. 'Veel van het leven van de wilde is hard en moeilijk', schrijft Dewey, 'maar wanneer de wilde het meest *alive* is, dan is hij ook het meest opmerkzaam voor de wereld en het meest vervuld van energie.' (Vergeeft u mij inmiddels die 'ratten'?)

Goed, een term als 'de wilde' zouden wij nu niet meer gebruiken. Maar wat Dewey ons hier wil duidelijk maken, is voor mij van bijzonder groot filosofisch belang. Ervaring in de mate waarin ze echt ervaring is, zegt hij, gaat om een verhoogde alertheid en vitaliteit. De esthetische ervaring, dat openstaan voor allerhande prikkels en waarnemingen, komt voor Dewey uiteindelijk neer op een actieve omgang met de wereld. Op zijn hoogtepunt wordt dit een volledige versmelting met de wereld. Dit soort versmelting, waarbij we als het ware onszelf vergeten, kunnen we terugvinden in de roes van de sportbeleving. Tijdens die barre tocht gisteren ging mijn lijf antwoorden op wat de buitenwereld eiste. Het paste zich aan, zocht naar harmonie. Liet mij verdragen. Zelfs genieten.

Ik bedacht dat daar misschien wel het antwoord ligt op de vraag die mij al enkele dagen bezighield. Hoe wij denken is altijd het resultaat van een interactie met onze omgeving. Denken is veel meer dan een rationeel of puur cognitief proces. Denken doen we eerst met ons lijf. Mijn bewustzijn zit niet in mijn hoofd. Ik ben mij bewust van de dingen doorheen mijn samenspel met de wereld. Eeuwen filosofie hebben zich gericht op onze 'bovenkamer', dat innerlijke strijdtoneel waar onze rationele scenario's zouden worden geproduceerd.

Natuurlijk zijn die scenario's er. Maar ze zijn er niet eerst. Mijn bewustzijn van de dingen speelt zich niet af onder mijn fietshelm. Het ontvouwt zich doorheen mijn spel met de wereld en via de instrumenten waarmee ik de problemen of uitdagingen aanpak die uit dat spel ontstaan. De mens is een speler. Geen toeschouwer. Wie fietst kent het verschil tussen een blauwe lucht in de winter en het blauw van een zomerse hemel. Naar een rivier kijken zal je dorst niet lessen of je lichaam afkoelen. We moeten ons lijf laten spelen met de dingen. Ik ben mij bewust van mijn wereld met mijn handen die een stuur voelen. Met banden die mijn omgeving betasten. Mijn bewustzijn is niks innerlijks. Het is mijn hele speelveld. Het zijn al mijn werktuigen. Wielrennen of hardlopen geven mij die verhoogde esthetische ervaring. Zintuigen staan scherper. Gevoelens worden intenser. De omgeving prikkelt, vraagt om nieuwe antwoorden. Wij geven betekenis aan de dingen door er lijfelijk mee om te gaan. Die aloude filosofische vraag naar de zin van het leven mag voor mijn part ook van daaruit een antwoord krijgen. Zin-vol is wat je doet. Hoe je het doet. En waar de menselijke schaal dan wel meespeelt: hoe we bewust omgaan met die lijfelijkheid. We zouden moeten weten dat we ook nog dat niveau van honden, vossen of spreeuwen in ons dragen, om het bij de voorbeelden van Dewey te houden.

Ik ben een filosoof. Ik ben ook graag een rat. Ik wriemel en wroet. Doe een uur lang wat grimmig naar die tijdelijk onherbergzaam lijkende wereld. En voel me dan omhelsd. De stilte op een dijk langs het water. Zoemende wielen als vage achtergrondmuziek. Een lijf is gestemd. Gedachten worden gestemd. Een stuk geschreven.

Authenticiteit

In zijn befaamde, niet altijd door leesbaarheid uitblinkende hoofdwerk *Het zijn en het niet* (1943) beschrijft de Franse filosoof, toneel- en romanauteur Jean-Paul Sartre de manier van doen van een kelner in een Parijs café. Sartre laat deze beschrijving volgen op zijn stelling dat we altijd zijn wat we moeten zijn, wat wil zeggen: zoals dat van ons verwacht wordt. De kelner beweegt zich kwiek en vol ijver. Een beetje te precies, een beetje te snel loopt hij met iets te kwieke tred naar de cafébezoekers toe. Hij buigt iets te nadrukkelijk voorover. Zijn stem en zijn ogen drukken een iets te gedienstige aandacht voor de klant uit. En wanneer hij terugkomt,

> probeert hij in zijn manier van lopen de onbuigzame stramheid van een of andere automaat na te bootsen, draagt zijn dienblad met de onverschrokkenheid als van een koorddanser, zet het neer in een voortdurend wankel en voortdurend verbroken evenwicht, dat hij voortdurend met een lichte beweging van arm en hand herstelt.

Kortom, zijn hele gedrag toont dat hij een spel speelt. Hij speelt dat hij kelner is. Sartre besluit dat 's mans gedrag louter ceremonieel is. De onderliggende gedachte:

dit is niet echt, niet authentiek. De kelner is niet wat hij is, hij is wat hij moet zijn.

Ik excuseer mij in de plaats van Jean-Paul Sartre bij alle kelners voor deze al te generaliserende beschrijving voor hun als onecht veronderstelde attitude. We kennen allemaal andere kelners. Al zijn die misschien in Parijs iets minder aanwezig dan elders. Het gaat mij hier om een houding die we wel van meerdere mensen kennen in zeer uiteenlopende situaties. Mensen acteren vaak wie ze denken te moeten zijn. Ze zijn dan eigenlijk niet vrij. Laten we dat eens contrasteren met een ander verhaal.

Smith, hoofdpersonage in Alan Sillitoe's even befaamde, maar beter leesbare novelle *De eenzaamheid van de langeafstandsloper* lijkt zowat de ultieme vorm van vrijheid te belichamen. Dat klinkt wat contradictoir, want Smith zit eigenlijk opgesloten in een instelling voor moeilijk opvoedbare jongeren. De jongeman heeft looptalent en de directeur, een man met uitpuilende ogen, weet dat. Smith mag elke morgen vroeg uit de veren om te gaan hollen buiten de muren van de instelling. Geen haar op zijn hoofd dat eraan denkt om op die manier te ontsnappen. Zijn vrijheid ligt al besloten in het hardlopen zelf.

Tijdens zijn ochtendlijke looptrainingen ontsnapt Smith niet alleen maar aan zijn gevangenis. Hij verbeeldt zich de snelste man ter wereld te zijn en transcendeert op die manier zowel psychische als fysieke grenzen tijdens zijn looptrainingen. Hardlopen leert hem luisteren naar de stem binnen in hem. Hij kent zijn waarde als loper en laat vanuit dat gevoel van eigenwaarde zijn problematische opvoeding achter zich. In het lopen ontdekt hij wie hij is. Hij doet dat niet voor anderen, maar voor zichzelf. Echt en authentiek.

De directeur hoopt dat Smith het veldloopkampioenschap zal winnen en de instelling de nodige glorie zal bezorgen – en daarmee ook de directeur in de bloemetjes zal zetten. Smith moet, met andere woorden, winnen voor de directeur, niet voor hemzelf. Wat zijn vrijheid bedreigt, zijn niet de muren van de instelling, maar de eisen van de directeur. U kent misschien het vervolg van het verhaal. Smith loopt in winnende positie, maar stopt ermee in het zicht van de aankomstlijn. Hij geeft een zekere overwinning op om zijn vrijheid te behouden. Zijn winst bestaat niet uit een medaille, maar uit zelfrespect, uit echtheid, uit authenticiteit. Dat hij nadien een langere straf krijgt, doet daar niets aan af. Smith heeft zichzelf gewonnen.

Wat wil ik met die twee uiteenlopende verhalen kwijt? Ik weet nog altijd niet goed wat authenticiteit nu eigenlijk betekent. Ik weet wel dat het woord veel te veel wordt gebruikt en misbruikt. Ook meen ik te weten dat wij in een maatschappij leven waar we veel te vaak 'kelner' moeten spelen. We doen ons best te beantwoorden aan het beeld dat anderen van ons verwachten. Misschien proberen we wel te beantwoorden aan het beeld dat media en reclame ons als zijnde authentiek voorschotelen?

Het is natuurlijk een zeer overtrokken vergelijking

om die wellicht niet altijd vermijdbare situatie te vergelijken met die van Smith. Toch denk ik dat een andere vergelijking mogelijk is: we kennen de vrijheid van het sporten. Tijdens onze sportactiviteit krijgen we te maken met grenzen. Onze grenzen. Elke (duur)sporter weet wat het betekent eenzaam te zijn. Dat zijn die ogenblikken waarop je lijf gaat tegenwringen. Je dreigt op een muur te stuiten. Maar je gaat door. Waarom ga je door? Omdat je dat zelf wil. Omdat het jouw maat is, niet de maat die je wordt opgelegd. We proberen niet een derde keer op rij de Ventoux op te rijden ter meerdere eer en glorie van onze directeur. We doen het omdat het onze vrijheid is. Nog anders: we doen het omdat het betekenisvol is voor onszelf.

Toen ik het hier eerder had over de tweestrijd waarin ik met mezelf verwikkeld zat, ging dat over al dan niet opnieuw intensiever gaan lopen en fietsen. Dat was een tweestrijd die ik op tamelijk rationele wijze wou beslechten. Maar zo werkt het niet. Intussen is er al beslist voor mij: gewoon door het te doen. Mijn lijf heeft mij inmiddels overtuigd op een manier die geen enkele vorm van ratio zou kunnen. Drie maand na die vorige tekst kan ik al eens twee keer per dag trainen. 's Morgens vroeg lopen, 's avonds een uur of anderhalf uur fietsen. En ik bouw verder op. De voorbije weken dook echter de vraag op waarom ik dat nu deed. Om een prestatie neer te zetten? Om een afgetraind lijf te kweken? Om grenzen te verleggen? Nog banaler: om te vermageren?

Misschien speelt dat allemaal wel een beetje mee.

Maar het is niet doorslaggevend. Dat alles gaat immers om doelen die haalbaar zijn en in hun haalbaarheid altijd verleden tijd worden. Wat na die prestatie? Wat als dat afgetrainde lijf het streefgewicht bereikt heeft? Wat als die grenzen niet meer kunnen worden verlegd? Dat vind ik geen duurzame redenen om aan sport te doen. Wat is dan wél duurzaam? Ik denk dat het gaat om de betekenisvolheid van sport. Wat doet die sport met het leven? Met *mijn* leven? Dat leven dat ik wil? De manier waarop ik mij met mezelf wil confronteren? Het mooie aan sport is dat het betekenis geeft aan je leven. Dat wil zeggen: je wordt gedragen door een betekenis. Sport heeft zin. Sport geeft zin. Sport is vrijheid. Mijn vrijheid.

Voor mijn ploegmaat
VOORJAAR 2014

'Helpt het, veel fietsen om zoiets te verwerken?' De vraag wordt mij gesteld door een andere deelnemer in een peloton op de tweede dag van de 1000 km van *Kom op tegen Kanker*, op 30 mei 2014. Ik heb hem net het verhaal verteld van mijn eerste deelname in 2010 en hoe mijn geliefde Hilde nog geen drie maanden later te horen kreeg dat ze ook aan die vreselijke ziekte leed en dat er van genezen geen sprake meer zou zijn. Hilde overleed elf maand later.

Of sport helpt het rouwproces draaglijker te maken? Ik vind dat een bijzonder moeilijke vraag. 'Ja' antwoorden zou de indruk kunnen wekken dat een dergelijk drama er uiteindelijk toch niet zó diep heeft ingehakt. Dat zoiets snel kan vervagen. En dus ook de gevoelens voor die persoon. In die zin kan het antwoord uiteraard niet 'ja' luiden. De intensiteit van mijn leven met Hilde over wie een doodvonnis werd uitgesproken, laat zich niet vervagen. Het beeld van haar moed, van haar onuitputbaar lijkende optimisme zal me altijd bijblijven.

Een zondagnamiddag, heel in het begin, van uren troosteloos en eenzaam liggen wenen, met muziek van Brahms op de achtergrond en dan 's avonds in het ziekenhuis veinzen dat je je wel recht houdt. Niets helpt daartegen. Zou ik gaan sporten om dat beeld te vergeten van onze in elkaar verstrengelde handen bij haar allerlaatste ademstoot, ik op mijn knieën naast haar bed? Nee! Ik wil dat niet eens vergeten.

Evenmin zal ik toelaten dat iets het beeld uitwist van haar uitgestrooide as op een weide die dezelfde avond nog werd schoongespoeld door een nog meer dan anders ongewenste zomerse regenbui. Die beelden hebben mij gevormd, hebben mij opnieuw gevormd. Ze hebben mij anders doen kijken. Hilde heeft mij anders doen kijken. Die beelden, haar beelden van dat laatste jaar, dragen mij. Die beelden moeten niet draaglijk zijn. Ik moet mij laten dragen door die beelden.

Hilde's innige en uitdrukkelijke wens was dat ik verder zou gaan, dat ik niet zou blijven stilstaan, me niet zou laten verlammen door het verdriet om haar. Het heeft ruim anderhalf jaar geduurd eer ik dat kon. Eer ik opnieuw kon bewegen. Toen pas kon ik de draad opnieuw oppakken, zoals dat dan heet, in het volle besef dat die beweging nu mede gedragen werd door haar. Dat elke stap die ik nog zou zetten in dit leven, voor altijd mee zou gedragen worden door haar.

In die zin kan ik niet 'ja' antwoorden op de vraag of sport helpt. Verwerken is iets anders dan vergeten. Verwerken is je laten dragen. Verwerken betekent beelden een plaats geven in het grotere verhaal dat ons leven is.

Eens dat duidelijk is, mag het antwoord wel naar een voorzichtig 'ja' neigen. Wat ons draagt zijn emoties. Emoties zijn fenomenen die uit onze lijfelijke dialoog met de wereld ressorteren. Emoties zijn niet helemaal, maar wel deels stuurbaar. Wie zijn verdriet probeert te smoren in alcohol, zal die emotie alleen maar versterken. Lijfelijke activiteit, sport, kan het omgekeerde effect hebben. Het eerste heeft een destructief effect op de hormonale huishouding die ons emotionele leven bepaalt. Het tweede, duursport vooral, speelt een constructieve rol. Het goede gevoel na een stevige fiets- of looptraining doet je de ellende niet vergeten, maar je gaat er wel anders mee om. Dat is de reden waarom ik ook niet 'nee' kan antwoorden op die vraag van hierboven. Sport helpt wel degelijk bij een verwerkingsproces. Bij mij brak het besef door dat ik Hilde's boodschap om positief verder te gaan ter harte kon nemen, na een uur zwemmen in een rustige omgeving onder een vroege avondzon in Indonesië. Plots was ik er ontvankelijk voor. De omgeving en mijn lijfelijke bezigheid had mij ervoor 'gestemd'. Dezelfde avond nog heb ik er het louterende verhaal over geschreven dat elders in dit boek staat afgedrukt.

Dat is voor mij ook de betekenis van de titel van een reeks columns die ik schrijf voor het magazine van *Sporta*: 'Bevlekte ontvangenis.' Ons denken is nooit onbevlekt, maar altijd getekend door hoe we lijfelijk in de wereld zijn. Daar word je emotioneel gestuurd, daar krijg je een manier van gestemd-zijn mee. Daar helpt sport. Daarom dus mag je niet stilstaan.

Achteraf geef ik toe dat ik op die morgen van mijn rit voor *Kom op tegen Kanker* met een bezwaard gemoed ben vertrokken. Ik wist dat de confrontatie opnieuw hard zou kunnen zijn. Ik zou niet alleen fietsen. Ik zou met beelden van haar fietsen. Ik zou denken aan hoe ze mij in 2010 nog kwam groeten bij de start in Hasselt. Hoe ik haar 's avonds op de Grote Markt in Antwerpen reikhalzend en fier naar mij zag staan uitkijken. Hilde moet toen zelf al ziek zijn geweest, besef ik nu. Daarom heb ik iets bijzonders willen doen dit jaar. Een postuum eerbetoon. De jaren sedert 2010 ben ik hier fysiek en emotioneel niet toe in staat geweest. In 2011, ruim een maand voor haar overlijden, wou ik bij haar blijven. Nu heb ik het dan eindelijk gedaan. Ik ben de uitdaging aangegaan, door bewust het lijden op te zoeken.

's Morgens ben ik eerst van Dendermonde naar Mechelen gefietst. Dan volgde een halve rit, 125 km, tot Geel. Vandaar wou ik huiswaarts fietsen langs omwegen. Na de drukte van het peloton verlangde ik naar de rust van kanaalpaden en jachtwegen. Die omwegen zouden mijn dagtotaal uiteindelijk brengen op meer dan 270 km en ruim tien uur fietsen. Halverwege, na zowat vijf uur, voelde ik een omslag. Mijn rothumeur maakte plaats voor een zich zacht aandienende euforie. Ik ben teruggefietst via Mechelen, om er vanop een terras de startplaats nog eens te overschouwen.

Denkend aan Hilde. Denkend aan drie jaar geleden, hoe we toen toeleefden naar ons huwelijk, waarvan we hoopten dat het nog minstens een jaar, wie weet twee, zou duren. Twee weken werden ons gegund. Ik zat op de Grote Markt in Mechelen en zag haar weer op de Grote

Markt van Dendermonde lopen, op de dag van ons huwelijk. Haar wandelstok met fiere tegenzin zwaaiend naast haar.

Met tegenzin, haast angstig voor mogelijk negatief emotioneel geknaag ben ik die morgen aan mijn rit begonnen. Van Mechelen ben ik ten slotte naar huis gevlogen. Grote molen, zelden beneden de dertig per uur. Dat lijden wou dus even niet lukken. Euforie, koppige vreugde droeg mij. Elke pedaalslag was een symbool voor het verdergaan, zoals Hilde dat wou. En natuurlijk – ik geef het toe – was er ook het fiere gevoel dit nog te kunnen, het opnieuw te kunnen. Jij hebt mij hierheen gedragen, Hilde. Ploegmaat. Kopvrouw. Mentor. Coach. Trainer. Dank je.

Op naar de Mont Ventoux

ZOMER 2014

Heeft u er ooit al eens bij stilgestaan hoe vaak wij in onze alledaagse taal metaforen gebruiken die verwijzen naar lichamelijke toestanden, naar hoe wij ons lijfelijk in de wereld bevinden? Als ik u zeg dat ik een beetje in de put zit, dan gaat u zich niet letterlijk die put proberen voor de geest te halen. U zal meteen begrijpen wat ik bedoel. Zeg ik dat ik op een toppunt van mijn kunnen sta, dan begrijpt u dat evenzeer. Als we onze situatie met een positieve bijklank onder woorden willen brengen, als we er een positieve betekenis aan willen geven, dan zullen we het altijd hebben over het hogere, nooit over het lagere. Wie opklimt, is goed bezig, voor wie bergaf gaat vrezen we het ergste. God is boven ons (stel dat...), de hel ergens diep onder ons.

Het kan dan ook geen verwondering wekken dat de beklimming van de Mont Ventoux in 1336 door de Italiaanse, weliswaar in Carpentras geboren dichter Francesco Petrarca wordt beschouwd als een symbolische stap vooruit van het humanisme. De dichter wandelde samen met zijn broer naar de top. Hij reikte naar God. We mogen niet vergeten dat zoiets als landschapsbeschouwing in die tijd een niet of nauwelijks bekend fenomeen was. Mensen trokken nog niet de bergen in om te bekomen van de lasten van werk en gezin. Petrarca gaf daar een heel nieuwe wending aan. Hij schreef lyrisch over de top van de Mont Ventoux,

> naar waarheid de vader van alle omliggende bergen; op zijn kruin is een kleine vlakte en daar zijn wij eindelijk vermoeid aangekomen en hebben ons neergezet. Ik zie om: de wolken lagen onder mijn voeten en thans kwamen mij Athos en Olympus minder ongelooflijk voor.

De tocht naar boven bleek voor Petrarca uiteindelijk ook een tocht naar binnen: boven op de Mont Ventoux zag hij zich geconfronteerd met de verhevenheid van de ziel.

> Terwijl ik dat gadesloeg en nu eens het aardse genoot, dan weer mijn geest tot hoger dingen opvoerde, lustte het mij het exemplaar op te slaan van de *Belijdenissen* van Augustinus.

Lezend in de *Belijdenissen* wordt Petrarca getroffen door een pagina waarop groots wordt gezegd dat de mensen heengaan om de hoogten van de bergen te bewonderen. Petrarca kijkt naar binnen en ziet daar de adel en de aangeboren heerlijkheid van de menselijke ziel. Het gaat daarboven dus niet langer om de Schepper, maar om de Mens. En hoe die zichzelf kan verheffen.

Noem het een beroepsmisvorming, maar ik ben om die reden, vooral om die reden, naar de Mont Ventoux getrokken om op twee wielen kond te doen van *mijn* opwaartse weg. Ik zou mezelf daar op een nieuwe manier ontdekken. Hoe zou ik beter het landschap van mijn leven kunnen overschouwen dan vanop een berg die de rest van de omgeving tot zoollikker degradeert?

Dat klinkt goed, niet?

Toen was er de confrontatie. Ik schreef hierover op mijn Facebookpagina, de avond na mijn beklimming:

Eigenlijk zeer tegen mijn zin op de fiets gestapt deze morgen. Waarom per se tweeduizend kilometer autorijden om een berg te gaan 'bedwingen'? En wat bewijs ik daarmee? Hoe ga je dat doen met de 88 kg die je weegt, snul? Van mijn hotel (in Mazan) fietste ik dan ook nog eens verkeerd richting startplaats Bédoin. Extra kilometers dus. Dan de beklimming. De hele tijd heb ik tegen mezelf steen en been zitten klagen. Over verspilde autokilometers, verloren tijd om te werken, kilo's te veel. En wat is de zin hiervan? Echt wel tof, met zo'n zeurpiet een fiets delen. Voortdurend wou ik opgeven. Tot boven op de top aan toe. Ik overwoog zelfs even te weigeren over de eindstreep te rijden. Maar goed, dat kon ik de enthousiaste dame met microfoon niet aandoen.

In de afdaling gebeurde iets eigenaardigs met mij. Als een puber die kickt op snelheid scheurde ik naar beneden. Op een kruispunt koos ik in al mijn enthousiasme niet voor de weg terug naar Bédoin, maar voor die naar Sault. Ik kon dus niet anders dan van daaruit een tweede keer naar boven rijden. Je moest maar niet zo zitten klagen, dacht ik nu. Terug bergop bleef het gezeur dan ook grotendeels achterwege. Zonder mokken overschreed ik een tweede keer de eindstreep.

In de afdaling koos ik vervolgens wel voor de richting Bédoin. Vandaar naar mijn hotel opnieuw verkeerd gereden. Kilometers en hoogtemeters hadden zich aardig opgestapeld tijdens een rit van bijna acht uur. Ik voelde me schitterend. En stelde nog eens de vraag wat nu eigenlijk de zin is van zo'n onderneming.

Op het moment dat ik dit tekstje hier overneem, twee weken na de beklimming, heb ik al een nieuwe trip naar de Kale Berg gepland. Deze keer wil ik gaan wandelen naar boven. Wat trekt me dan wel aan in die uitdagende bult in de Provence? Ik denk aan wat Peter Sloterdijk vertelt in zijn complexe boek *Je moet je leven veranderen*. Sloterdijk pleit voor een acrobatische ethiek en een oefenend leven:

Alle geestelijke en lichamelijke vooruitgang begint met een zich afscheiden van de gewoonheid.

Voor een transformatieve ethiek – verander je leven – is een daad van 'secessionisme' nodig. Wie zijn leven wil veranderen, onttrekt zich aan de stroom van het gewone en kiest voor de oever. Wie wil oefenen, wie zichzelf wil veranderen, creëert een eigen oefenruimte, een excentrische ruimte. De levensacrobaat verzaakt het gewone en zoekt naar een weg voor zelf-toe-eigening.

Dat zijn dure woorden om een escapade als die op de Mont Ventoux te bepleiten, maar die woorden raken wel de kern van wat ik al jaren onderneem in mijn van filosofie en sport doordesemde leven. Nietzsche is hier nooit ver weg. Niet toevallig verwijst Sloterdijk naar diens denken. Nietzsche heeft spiritualiteit gematerialiseerd, er een lijf aan gegeven, zouden we kunnen zeggen. Ascese is bij hem niet langer 'nee' zeggen, maar een volmondig beamen van het leven vanuit de eigen lichamelijkheid.

Sloterdijk treft bij Nietzsche een mix aan van kunstenaarschap, trainingsleer en ascese. U moet weten dat de term ascese oorspronkelijk verwees naar een oefenregime en dus niet naar onthoudingspraktijken. Nietzsche wou de ascese vernatuurlijken. Het ging hem niet om onthouding, maar om versterking. Sloterdijk knoopt daarbij aan en zegt dat het bestaan van de mens van morgen volledig gegrondvest zou moeten zijn op oefening en beweeglijkheid.

Welaan, ik maak van de Mont Ventoux een oefenproject voor volgend jaar. Oefenen, ascese, met de blik gericht op – de volgende keer – een drievoudige beklimming. Is dit prestatiedwang? Ik ontken aarzelend. De voorbije drie jaar heb ik geleerd dat het lichaam eigen wetten stelt. Dat het een gretigheid vertoont die vaak in strijd lijkt met rationele overwegingen van maat houden. Het lijf wil steeds meer. De geest volgt dan wel.

Ruim twee weken na mijn avontuur op de Ventoux straal ik van conditie. Het lichaam 'supersompenseert', zoals dat heet in de sportwereld. Het gaat zich adapteren aan inspanningen die plots zwaarder bleken dan eerder. Dat is groei. En die groei vertaalt zich ook in emotionele en psychische zin. Dat hangt allemaal samen. We zijn één. Lijf, emotie en geest. Maar het lijfelijke gaat eerst. Verander je iets aan je lichamelijke manier van in de wereld staan, op een niet-triviale manier, dan heeft dat ook betekenisvolle effecten voor je emotionele en geestelijke welzijn.

Ik kan me voorstellen dat het even wennen is dit pleidooi uit de mond van een rouwende filosoof te horen komen. Het zou niet moeilijk zijn dit alles verder te onderbouwen met verwijzingen naar neurobiologie en -psychologie. Ik vind dat niet nodig en haak mijn pleidooi gewoon vast aan de eigen ervaring.

Drie jaar heb ik nodig gehad om me opnieuw – en dit is zeer letterlijk te nemen – goed in mijn lijf te voelen zitten. In zekere zin is de cirkel hiermee rond. In het Rodope-gebergte riep ik Hilde toe dat we verder bergop konden. Dagelijks gingen we die uitdaging aan in onze vorm van secessie op dat moment. Lijfelijke inspanning haalde ons weg van het gewone. Dat was ook Hilde's ding: een eigen maat zoeken. Die eigen maat verheft je boven de stroom van alledaagsheid. Zelf-toe-eigening is er zelf-confrontatie.

Hilde en ik hebben daar in dat Bulgaarse gebergte die

confrontatie in extreme mate ondergaan. We hebben er ook elkaar gevonden, meer nog dan in de acht jaren voordien van ons samenzijn. Het klinkt veel te pathetisch om dan hierop te moeten laten volgen dat vervolgens het noodlot toesloeg. Het jaar dat ons vervolgens nog restte, was een confrontatie die niemand zich toewenst. Het lichaam als onze primaire toegang tot de wereld is ook een eindig lichaam. Na eindig komt afwezig in de sequentie van het leven.

Dat er dan toch een leven is na de dood, moet de teneur zijn van mijn verhaal hier. Denk aan dat rugzakje. Denk aan een oever. Denk aan een verhaal dat voortdurend om herschrijven vraagt. Denk aan schrijven met het lichaam.

Verantwoording

De hoofdstukken 'Lieve Hilde,' en 'Discovery-droom' zijn bewerkingen van teksten die eerder zijn gepubliceerd in *Sport als levenskunst* (2010). Vroegere versies van een aantal andere hoofdstukken zijn eerder verschenen in *Sporta Magazine* en *Knack*.